U0127154

第十六回 贾元春才选凤藻宫 秦鲸卿夭逝黄泉路

且说秦钟宝玉二人跟着凤姐自铁槛寺照应一番，坐车进城，到家见过贾母王夫人等，回到自己房中，一夜无话。至次日，宝玉见收拾了外书房，约定了与秦钟读夜书。偏生那秦钟秉赋最弱，因在郊外受了些风霜，又与智能儿偷期缱绻，未免失于调养，回来时便咳嗽伤风，懒怠进饮食，大有不胜之态，只在家中调养，不能上学，（乐极生悲。古人戒淫的原因之一是，养生条件差，常有淫而伤身的经验。）宝玉便扫了兴，然亦无法，只得候他病痊再议了。

那凤姐却已得了云光的回信，俱已妥协，老尼达知张家，果然那守备忍气吞声，受了前聘之物。谁知爱势贪财之父母，却养了一个知义多情的女儿，闻得退了前夫，另许李门，他便一条汗巾悄悄的寻了个自尽。那守备之子闻知金哥自缢，他也是个情种，遂投河而死。（这种悲剧结局的设计只能说是为了从道义上谴责凤姐。弄权杀人不见血，能不慎之！）可怜张李二家没趣，真是『人财两空』。这里凤姐却安享了三千两，王夫人连一点消息也不知道。自此凤姐胆识愈壮，以后所作所为，诸如此类，不可胜数。

一日正是贾政的生辰，（不是生辰就是生病，要不就是死人，要不就是性混乱。生活内容极其空虚，只剩下人的生理内容了。）宁荣二处人丁都齐集庆贺，热闹非常。忽有门吏报道：『有六宫都太监夏老爷特来降旨。』（一级怕一级，谁都怕降旨。）唬的贾赦贾政一干人不知何事，忙止了戏文，撤去酒席，摆香案，启中门跪接。早见都太监夏秉忠乘马而至，又有许多跟从的内监。那夏太监也不曾负诏捧敕，直至正厅下马，满面笑容，走至厅上，南面而立，口内说：『奉特旨：立刻宣贾政入朝，在临敬殿陛见。』说毕，也不吃茶，便乘马去了。

贾政等也猜不出是何兆头，只得即忙更衣入朝。贾母等合家人心俱惶惶不定，（惶惶不定。入朝意味着危险。）不住的使人飞马来往报信。有两个时辰，忽见赖大等三四个管家喘吁吁跑进仪门报喜，又说『奉老爷命，速请老太太率领太太等进宫谢恩』等语。

那时贾母心神不定，在大堂廊下伫候，邢王二夫人、尤氏、李纨、凤姐、迎春姊妹以及薛姨妈等，皆聚在一处打听信息。贾母又唤进赖大来细问端的，赖大禀道：『小的们只在临庄门外伺候，里头的信息一概不知。后来夏太监出来道喜，说咱们家的大小姐晋封为凤藻宫尚书，加封贤德妃。（关上门封诰，威严认真得很，旁观冷眼，又过上许多年，简直像闹剧。）后来老爷出来亦如此吩咐小的。如今老爷又往东宫去了，速请老太太们去谢恩。』贾母等听了方心安，一时皆喜见于面，于是都按品大妆起来。（人总是要自己给自己找些事做，找些麻烦发愁，找些乐子开心的。否则，什么时候能『按品大妆』一番呢？不仅欲望生烦恼，空虚也生事。）贾母率领邢王二夫人并尤氏，一共四乘大轿，鱼贯入朝。贾赦贾珍亦换了朝服，带领贾蔷贾蓉，奉侍贾母前往。

于是宁荣两处上下内外人等，莫不欣喜，独有宝玉置若罔闻。你道什么缘故？原来近日水月庵的智能私逃入城来找秦钟，不意被秦业知觉将智能逐去，将秦钟打了一顿，自己气的老病发了，三五日光景，呜呼哀哉了。（秦邦业并未病弱到卧床不起的地步，却不为女儿之死所动。）秦钟本自怯弱，又带病未痊，受了笞杖，今见老父气死，此时悔痛无及，又添了许多病症。因此，宝玉心中怅怅不乐。（因此，又不仅因此。）虽有元春晋封之事，那解得他愁闷？贾母等如何谢恩，如何回家，亲友如何来庆贺，宁荣两府近日如何热闹，众人如何得意，独他一个皆视有如无，（视有如无，倒是境界。）毫不介意。因此众人嘲他越发呆了。

且喜贾琏与黛玉回来，先遣人来报信，明日就可到家了，宝玉听了，方略有些喜意。细问原由，方知贾雨村亦进京引见，皆由王子腾累上荐本，此来候补京缺，与贾琏是同宗弟兄，又与黛玉有师徒之谊，故同路作伴而来。林如海已葬入祖茔了，诸事停妥。贾琏此番进京，若按站而走，本该出月到家，因闻元春喜信，遂昼夜兼程而进，一路俱各平安。宝玉只问了黛玉『平安』二字，余者也就不在意了。

好容易盼到明日午错，果报：『琏二爷和林姑娘进府了。』见面时彼此悲喜交集，未免大哭一场，又致慰庆之词。宝玉心中忖度黛玉，越发出落的超逸了。黛玉又带了许多书籍来，（这些书也是黛玉悲剧性格的一个来源，一个组成部分。）忙着打扫卧室，安排器具，又将些纸笔等物分送与宝钗、迎春、宝玉等。宝玉又将北静王所赠蕶苓香串珍重取出来，转送黛玉。黛玉说：『什么臭男人拿过的，我不要这东西！』遂掷而不取。（宝玉对北静王的权势与恩宠其实洋洋得意，远不如黛玉清高。）宝玉只得收回，暂且无话。

且说贾琏自回家见过众人，回至房中，正值凤姐事繁，无片刻闲空，见贾琏远路归来，少不得拨冗接待。房内无外人，便笑道：『国舅老爷大喜！国舅老爷一路的风尘辛苦！小的听见昨日的头起报马来报说，今日大驾归府，略预备了一杯水酒掸尘，不知可赐光谬领否？』贾琏笑道：『岂敢，岂敢！多承，多承。』一面平儿与众丫鬟参见毕，献茶。

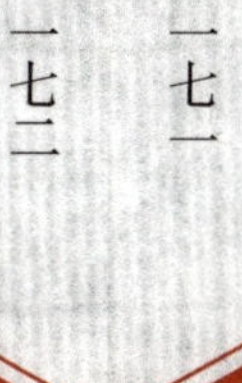

这实在是道德的尴尬。道德上讲夫为妻纲，讲孝悌忠信，讲举案齐眉，但又不尊重夫与妻的个人的应有的尊严与独立性。结果，背地里尔虞我诈，鬼鬼祟祟。我们常常嘲笑外国的一对情人或夫妻吃完饭各付各的账，我们可以认为或假设那确是值得嘲笑的。但贾琏、熙凤这样呢，难道不是更野蛮、更丑恶么？未必能断定作者写这些时怀着一种暴露的忿懑，他只是说出实情罢了。

贾琏遂问别后家中诸事，又谢凤姐的操持辛苦。凤姐道：『我那里管得这些事来！见识又浅，口角又笨，心肠又直率，「人家给个棒槌，我就认作针」。脸又软，搁不住人家给两句好话，心里就慈悲了。况且又没经过大事，胆子又小，太太略有些不自在，就连觉也睡不着了。我苦辞过几回，太太又不许，倒说我图受用，不肯学习。殊不知我是捻着一把汗呢。一句也不敢多说，一步也不敢妄行。（这种「谦虚」透着得意。所有的话按相反的意思解读，就行了。但这些话并非全是虚伪。各有各的难处，弄权者也有弄权者的窝心处。底下的话倒也是实情。）你是知道的，咱们家所有的这些管家奶奶，那一个是好缠的？错一点儿他们就笑话打趣，偏一点儿他们就「指桑说槐」的抱怨；「坐山看虎斗」「借刀杀人」「引风吹火」「站干岸儿」「推倒油瓶不扶」，都是全挂子的武艺。（「都是全挂子的武艺」，形容得真好！这些武艺可不是拜师学来的，而是被生活实践所培育的。洞悉这些「武艺」，凤姐的武艺岂不更加超群？）况且我年纪轻，不压人，怨不得不放我在眼里。更可笑那府里蓉儿媳妇死了，珍大哥再三在太太跟前跪着讨情，只要请我帮他几日；我是再四推辞，太太做情允了，只得从命，依旧被我闹了个马仰人翻，更不成个体统，至今珍大哥还抱怨后悔呢。你明儿见了他，好歹描补描补，就说我年纪小，原没见过世面，谁叫大爷错委了他。』

说着，只听外间有人说话，凤姐便问：『是谁？』平儿进来回道：『姨太太打发了香菱妹子来问我一句话，我已经说了，打发他回去了。』贾琏笑道：『正是呢，我方才见姨妈去，和一个年轻的小媳妇子撞了个对面，生得好齐整模样。我疑惑咱家并无此人，说话时问姨妈，方知道是上京买来的小丫头，名叫什么「香菱」的，竟与薛大傻子作了房里的人，开了脸，越发出挑的标致了。那薛大傻子真玷辱了他。』（倒也是见微知著。）凤姐道：『哎！往苏杭走了一趟回来，也该见些世面了，还是这样眼馋肚饱的。你要爱他，不值什么，我拿平儿去换了他来如何？（一句话显出了平儿的卑贱。）那薛老大也是「吃着碗里瞧着锅里」的，这一年来的光景，他为香菱儿不能到手，和姨妈打了多少饥荒。（一派丑态。）那姨妈看着香菱模样儿好还是小事，其为人行事，更又比别的女孩子不同，温柔安静，差不多的主子姑娘还跟不上他，故此摆酒请客的费事，明堂正道与他做了妾。过了没半月，也看的没事人一大堆了。我倒心里可惜他。』一语未了，二门上小厮传报：『老爷在大书房等二爷呢。』贾琏听了，忙忙整衣出去。

这里凤姐乃问平儿：『方才姨妈有什么事，巴巴儿的打发香菱来？』平儿道：『那里来的香菱，是我借他暂撒个谎儿。奶奶你说，旺儿嫂子越发连个成算也没了。』（平儿真好帮手也。）说着，又走至凤姐身边，悄悄说道：『奶奶的那利银迟不送来，早不送来，这会子二爷在家，他偏送这个来了。幸亏我在堂屋里碰见，不然他走了来回奶奶，二爷少不得要知道，我们二爷那脾气，油锅里的还要捞出来花呢，知道奶奶有了体己，他还不大着胆子花么？所以我赶着接过来，教我说了他两句，谁知奶奶偏听见了。我故此当着二爷面前只说香菱儿来了。』（撒谎已经日常化、普泛化、生活化了。）凤姐听了笑道：『我说呢，姨妈知道你二爷来了，忽剌巴的反打发个房里人来了，原来你这蹄子闹鬼！』

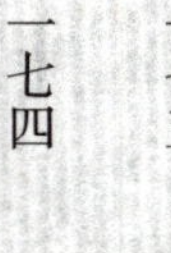

说着贾琏已进来了，凤姐命摆上酒馔来，夫妻对坐。凤姐虽善饮，却不敢任兴，只陪侍着。见贾琏的乳母赵嬷嬷走来。贾琏凤姐忙让吃酒，令其上炕去。赵嬷嬷执意不肯。平儿等早于炕沿设下一几，又有小脚踏，赵嬷嬷在脚踏上坐了，贾琏向桌上拣两盘肴馔与他，放在几上自吃。（又是座次学。）凤姐又道：『妈妈很嚼不动那个，没的倒硌了他的牙。』因问平儿道：『早起我说那一碗火腿炖肘子很烂，正好给妈妈吃，你怎么不拿了去赶着叫他们热来？』又道：『妈妈，你尝一尝你儿子带来的惠泉酒。』（熙凤显得何等贤良善意，克己复礼！）赵嬷嬷道：『我喝呢，奶奶也喝一钟。怕什么？只不要过多了就是了。我这会子跑了来，倒也不为酒饭，倒有一件正经事，奶奶好歹记在心里，疼顾我些罢！我们这爷，只是嘴里说的好，到了跟前就忘了我们。幸亏我从小儿奶了你这么大。我也老了，有的是那两个儿子，你就另眼照看他们些，别人也不敢呲牙儿的。我还再三的求了你几遍，你答应的倒好，如今还是燥屎。（越是地位低的人，越能说出鲜活的口语，越少陈词滥调。）这如今又从天上跑出这样一件大喜事来，那里用不着人？所以倒是来和奶奶说是正经。靠着我们爷，只怕我还饿死了呢。』凤姐笑道：『妈妈，你的两个奶哥哥都交给我。（「都交给我」四字，露出权威与自信来了。）你从小儿奶的儿子还有什么不知他那脾气的？拿着皮肉倒往那不相干的外人身上贴。可见现放着奶哥哥那一个不比人强？你疼顾照看他们，谁敢说个「不」字儿？没的白便宜了外人。我这话也说错了，我们看着是「外人」，你却看着是「内人」一样呢。』（有打有拉有嘲有笑，这样的凤姐作为妻子，也还是有趣味的。）说着，满屋里人都笑了。赵嬷嬷也笑个不住，又念佛道：『可是屋子里跑出青天来了。要说「内人」「外人」这些混账缘故，我们爷是没有，不过是脸软心慈，搁不住人求两句罢了。』凤姐笑道：

『可不是呢，有「内人」的他才慈软呢，他在咱们娘儿们跟前才是刚硬呢！』（凤姐拉赵嬷嬷，毕竟是阳谋。）赵嬷嬷道：『奶奶说的太尽情了，我也乐了，再吃一杯好酒。从此我们奶奶做了主，我就没的愁了。』

贾琏此时没好意思，只是讪笑道：『你们别胡说了，快盛饭来吃，还要往珍大爷那边去商议事呢。』凤姐道：『可是，别误了正事。刚才老爷叫你说什么？』贾琏道：『就为省亲的事。』凤姐忙问道：『省亲的事竟准了？』贾琏笑道：『虽不十分准，也有八九分了。』凤姐笑道：『可见当今的隆恩呢！历来听书看戏，古时从来未有的。』（伟大的天恩，伟大的人伦道德，平凡的人物。）赵嬷嬷又接口道：『可是呢，我也老糊涂了。我听见上上下下吵嚷了这些日子，什么省亲不省亲，我也不理论他去；如今又说省亲，到底是怎么个缘故？』贾琏道：『如今当今体贴万人之心，世上至大莫如「孝」字，想来父母儿女之性，皆是一理，不在贵贱上分的。（贾琏突然转入了官话系统。）当今自为日夜侍奉太上皇、皇太后，尚不能略尽孝意，因见宫里嫔妃才人等皆是入宫多年，抛离父母，岂有不思想之理？且父母在家，思想女儿，不能一见，倘因此成疾，亦大伤天和之事，故启奏上皇、太后，每月逢二六日期，准其椒房眷属入宫请候省视。于是太上皇、皇太后大喜，深赞当今至孝纯仁，体天格物。因此二位老圣人又下旨谕说：椒房眷属入宫，未免有关国体仪制，母女尚未能惬怀。竟大开方便之恩，特降谕诸椒房贵戚，除二六日入宫之恩外，凡有重宇别院之家，可以驻跸关防者，不妨启请内廷銮舆入其私第，庶可尽骨肉私情，共享天伦之乐事。此旨下了，谁不踊跃感戴？现今周贵妃的父亲已在家里动了工，修盖省亲的别院呢。又有吴贵妃的父亲吴天祐家，也往城外踏看地方去了。这岂非有八九分了？』（下面折腾，易成动乱；上面乱动，劳民伤财，终成败局。）

赵嬷嬷道：『阿弥陀佛！原来如此。这样说起，咱们家也要预备接大小姐了？』贾琏道：『这何用说？不然这会子忙的是什么？』凤姐笑道：『果然如此，我可也见个大世面了。可恨我小几岁年纪，若早生二三十年，如今这些老人家也不薄我没见世面了。说起当年太祖皇帝仿舜巡的故事，比一部书还热闹，我偏没造化赶上。』赵嬷嬷道：『嗳哟！那可是千载希逢的！那时候我才记事儿，咱们贾府正在姑苏扬州一带监造海船，修理海塘，只预备接驾一次，把银子花的像淌海水似的！（所以终于破败穷困下去了。）说起来……』凤姐忙接道：『我们王府里也预备过一次。那时我爷爷专管各国进贡朝贺的事，凡有外国人来，都是我们家养活。粤、闽、滇、浙所有的洋船货物都是我们家的。』

谚云，好汉不提当年勇。盖他老人家当今更勇也。反过来说，提当年勇者，已经无多少余勇可贾，也算不得好汉了。一个大富之家，垂涎三尺地怀念祖上的富贵，不更透出一番没落的凄凉么？这种回味，有不祥的意味。

赵嬷嬷道：『那是谁不知道的？如今还有个口号儿呢，说：「东海少了白玉床，龙王来请江南王。」这说的就是奶奶府上了。如今还有现在江南的甄家，嗳哟哟！好势派！独他家接驾四次，若不是我们亲眼看见，告诉谁也不信的。别讲银子成了土泥，凭是世上有的，没有不是堆山积海的。「罪过可惜」四个字竟顾不得了。』凤姐道：『我常听见我们太爷说，也是这样的。岂有不信的？只纳罕他家怎么就这样富贵呢？』赵嬷嬷道：『告诉奶奶一句话，也不过拿着皇帝家的银子往皇帝身上使罢了！谁家有那些钱买这个虚热闹去？』（种种关于几大家族的来历、富贵、气派、场面的不无夸张的说法，一方面表现了封建朝廷与皇亲国戚们搜刮民脂民膏，挥霍浪费的惊心动魄的事实，另一方面与此后的交租庄头的诉苦，贾府的入不敷出直至最后的败落成为对比。）

正说着，王夫人又打发人来瞧凤姐吃完了饭不曾。凤姐便知有事等他，忙忙的吃了饭，漱口要走，又有二门上小厮们回：『东府里蓉蔷二位哥儿来了。』贾琏才漱了口，平儿捧着盆盥手，见他二人来了，便问：『说什么话？』凤姐因亦止步，只听贾蓉先回说：『我父亲打发我来回叔叔：老爷们已经议定了，从东边一带，接着东府里花园起，至西北，丈量了，一共三里半大，可以盖造省亲别院了。（迎接一个大活动、大场面，先要上项目，上基建。）已经传人画图样去，明日就得。叔叔才回家，未免劳乏，不用过我们那边去，有话明日一早再请过去面议。』贾琏笑说：『多谢大爷费心，体谅我，就从命不过去了。正经是这个主意，才省事，盖造也容易；若采置别的地方去，那更费事，且倒不成体统。你回去说，这样很好，若老爷们再要改时，全仗大爷谏阻，万不可另寻地方。明日一早，我给大爷请安去，再议细话。』贾蓉忙应几个『是』。

贾蔷又近前回说：『下姑苏请聘教习，采买女孩子，置办乐器行头等事，大爷派了侄儿，带领着来管家两个儿子，还有单聘仁、卜固修两个清客相公，一同前往，所以命我来见叔叔。』贾琏听了，将贾蔷打量了打量，笑道：『你能够在行么？这个事虽不甚大，里头却有藏掖的。』贾蔷笑道：『只好学着办罢了。』（与贾蓉这种下流胚子勾搭，也算『用人不当』。）

贾蓉在身傍灯影下悄拉凤姐的衣襟，凤姐会意，因笑道：『你也太操心了，难道大爷比咱们还不会用人？偏你又怕他不在行了。谁都是在行的？孩子们已长的这么大了，「没吃过猪肉，也看见过猪跑」。大爷派他去，原不过

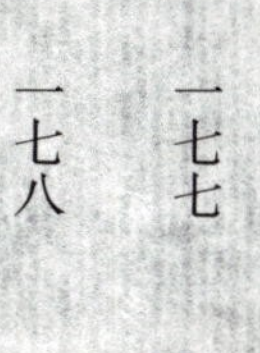

是个坐纛旗儿，难道认真的叫他去讲价钱会经纪呢！依我说，很好。』贾琏道：『自然是这样。并不是我要驳回，少不得替他筹算筹算。』因问：『这一项银子动那一处的？』贾蔷道：『刚才也议到这里。赖爷爷说，竟不用从京里带银子去，江南甄家还收着我们五万银子。（各种横向联系。）明儿写一封书信会票我们带去，先支三万两，剩二万存着，等置办彩灯花烛并各色帘帜帐幔的使用。』贾琏点头道：『这个主意好。』凤姐忙向贾蔷道：『既这样，我有两个在行妥当人，你就带他们去办，这个便宜了你呢。』贾蔷忙陪笑道：『正要和婶娘讨两个人呢，这可巧了。』（见缝插针，倚马可待。贾蔷答得多乖，多招人疼，即使明知这样的人多是坏种。）因问名字。凤姐便问赵嬷嬷。彼时赵嬷嬷已听话听呆了，平儿忙笑推他，才醒悟过来，忙说：『一个叫赵天梁，一个叫赵天栋。』凤姐道：『可别忘了，我干我的去了。』说着便出去了。贾蓉忙跟出来，悄悄的向凤姐道：『婶娘要什么东西，吩咐了开个账儿给我兄弟带去，按账置办了来。』凤姐笑道：『别放你娘的屁！我的东西还没处撂呢，希罕你们鬼鬼祟祟的。』（贱得可喜。骂得亲热。有点打是疼骂是爱的辩证法。人人玩花活闹鬼祟。）说着，一径去了。

贾琏贾珍在管理上也还有相当的作用。特别是涉及府外包括朝廷旨意的事，凤姐不知其详，而那二位已经做了部署。凤姐毕竟是『女流』，管的是内政。这样，为凤姐考虑，应注意与贾琏的结盟。可惜凤姐过于自信，加上夫妻的其他矛盾掺和进来，此后凤姐与贾琏实处于对立地位。这是凤姐败亡的一个原因。

这里贾蔷也是问贾琏：『要什么东西？顺便织来孝敬。』（中国的腐败史，是一个好题目。）贾琏笑道：『你别兴头。才学着办事，到先学会了这把戏。短了什么，少不得写信来告诉你，且不要论到这里。』说毕，打发他二人去了。

接着回事的人不止三四起，贾琏乏了，便传与二门上，一应不许传报，俱待明日料理。凤姐至三更时分方下来安歇。一宿无话。（一宿无话，有时大体上与现代电影手法相当，床上镜头进入一定情况后，暗转了。）

次早贾琏起来，见过贾赦贾政，便往宁国府中来，合同老管事人等，并几位世交门下清客相公，审察两府地方，缮画省亲殿宇，一面参度办理人丁。自此后，各行匠役齐全，金银铜锡以及土木砖瓦之物，搬运移送不歇。先令匠役拆宁府会芳园墙垣楼阁，直接入荣府东大院中。荣府东边所有下人一带群房已尽拆去。（边干边烂，边烂边干。）当日宁荣二宅，虽有一条小巷界断不通，然这小巷亦系私地，并非官道，故可以联络。会芳园本是从北墙角下引来一股活水，今亦无烦再引。其山树木石虽不敷用，贾赦住的乃是荣府旧园，其中竹树山石以及亭榭栏杆等物，皆可挪就前来。（写基建，园林建设。）如此两处又甚近，凑来一处，省许多财力，纵有不敷，所添有限。全亏一个胡老名公，号山子野，一一筹画起造。

贾政不惯于俗务，（贾政为什么不惯于俗务，如果是理政治、做学问、搞艺术、搞发明的人，舍弃俗务，可以理解。贾政不惯俗务又惯什么呢？实看不出哪怕他是道德家、国学家。是无能吗？是摆谱吗？是教条僵化、《四书》《五经》把他培养成了一个废人吗？）只凭贾赦、贾珍、贾琏、赖大、来升、林之孝、吴新登、詹光、程日兴等几人安插摆布。堆山凿池，起楼竖阁，种竹栽花，一应点景，又有山子野制度，下朝闲暇，不过各处看望看望，最要紧处和贾赦等商议商议便罢了。贾赦只在家高卧，有芥豆之事，贾珍等或自去回明，或写略节，或有话说，便传呼贾琏赖大等来领命。贾蓉单管打造金银器皿。贾蔷已起身往姑苏去了。贾珍赖大等又点人丁，开册籍，监工等事。一笔不能写到，不过是喧阗热闹而已。（内行看门道，外行看热闹。）暂且无话。

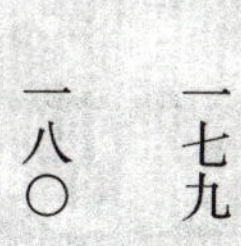

且说宝玉近因家中有这等大事，贾政不来问他的书，心中自是畅快；无奈秦钟之病，日重一日，也着实悬心，不能快乐。这日一早起来，才梳洗了，意欲回了贾母去望候秦钟，忽见茗烟在二门照壁前探头缩脑，宝玉忙出来问他：『做什么？』茗烟道：『秦相公不中用了！』（秦钟要死，生死亦大矣，茗烟为什么『探头缩脑』？堂堂秦可卿的弟弟要死了，何必做出鬼祟相？）宝玉听了，吓了一跳，忙问道：『我昨儿才瞧了他还明明白白，怎么就不中用了？』茗烟道：『我也不知道，刚才是他家的老头子特来告诉我的。』宝玉听了，忙转身回明贾母，贾母吩咐派妥当人跟去，『到那里尽一尽同窗之情就回来，不许多耽搁了。』

宝玉忙出来更衣。到外边，车犹未备，急的满厅乱转，（满厅乱转云云，也带嘲讽意。）一时催促的车到，忙上了车，李贵茗烟等跟随。来到秦家门首，悄无一人，遂蜂拥至内室，唬的秦钟的两个远房婶母并几个弟兄都藏之不迭。

此时秦钟已发过两三次昏了，已易箦多时矣。宝玉一见，便不禁失声。李贵忙劝道：『不可，不可，秦相公是弱症，未免炕上挺扛的骨头不受用，所以暂且挪下来松散些。哥儿如此，岂不反添了他的病？』宝玉听了，方忍住近前，见秦钟面如白蜡，合目呼吸，转展枕上。宝玉忙叫道：『鲸哥！宝玉来了。』连叫了两三声，秦钟不睬。宝玉又叫道：『宝玉来了。』

那秦钟早已魂魄离身，只剩得一口悠悠余气在胸，正见许多鬼判持牌提索来捉他。那秦钟魂魄那里肯就去？又记念着家中无人掌着家务，又记挂着智能尚无下落，因此百般求告鬼判。（竟把人死往丑角戏上写，太不『以人为本』

了。）无奈这些鬼判都不肯徇私，反叱咤秦钟道：『亏你还是读过书的人，岂不知俗语说的：「阎王叫你三更死，谁敢留人到五更。」我们阴间上下都是铁面无私的，不比阳间瞻情顾意，有许多关碍处。』

正闹着，那秦钟魂魄忽听见『宝玉来了』四字，便忙又央求道：『列位神差略慈悲，让我回去，和一个好朋友说一句话，就来了。』众鬼道：『又是什么好朋友？』秦钟道：『不瞒列位，就是荣国公孙子，小名宝玉的。』都判官听了，先就唬慌起来，忙喝骂鬼使道：『我说你们放了他回去走走罢，你们断不依我的话，如今等的请出个运旺时盛的人才罢。』众鬼见都判如此，也皆忙了手脚，一面又抱怨道：『你老人家先是那等「雷霆火炮」，原来见不得「宝玉」二字。依我们愚见，他是阳，我们是阴，怕他亦无益于我们。』（秦钟到底是何等人物？仪表很好，受到凤姐好评并使宝玉为之自惭。行事无起色，出身很一般。作者居然以打趣笔调调侃他的死亡，不怎么人道。贾家对其病、死亦不在意。莫非可卿已死，秦钟的『茶』也就凉了吗？）毕竟秦钟死活如何，且听下回分解。

以秦可卿之死为元春的『提升』铺垫，以秦钟之死为元春的『提升』陪衬，姐儿俩之死，夹一层馅是元春的『喜讯』。

秦钟死得极其随意，如同玩笑一般。

第十七回　大观园试才题对额　荣国府归省庆元宵

话说秦钟既死，（『红』中，死个人不比死个苍蝇希罕。人命太廉价了。）宝玉痛哭不止，李贵等好容易劝解半日方住，归时还带余哀。贾母帮了几十两银子，外又另备奠仪，宝玉去吊丧。七日后便送殡掩埋了，别无记述。只有宝玉日日感悼，思念不已，然亦无可如何了。（姐姐死得惊天动地。弟弟死得轻于鸿毛。）又不知过了几时才罢。

这日贾珍等来回贾政：『园内工程俱已告竣，大老爷已瞧过了，只等老爷瞧了，或有不妥之处，再行改造，好题匾额对联的。』（『这日』何日，起码又过了一年左右吧？匾对是起点睛作用的。）贾政听了，沉思一会，说道：『这匾对倒是一件难事。论礼该请贵妃赐题才是，然贵妃若不亲观其景，亦难悬拟；若直待贵妃游幸时再请题，若大景致，若干亭榭，无字标题，任是花柳山水，也断不能生色。』

众清客在旁笑答道：『老世翁所见极是。如今我们有个主意：各处匾对断不可少，亦断不可定。如今且按其景致，或两字、三字、四字，虚合其意拟了来，暂且做出灯匾联悬了，待贵妃游幸时，再请定名，岂不两全？』（一切准备齐，不定，等老板拍板，确是至今有效的工作方法。）贾政听了道：『所见不差。我们今日且看看去，只管题了，若妥使用；若不妥，将雨村请来，令他再拟。』众人笑道：『老爷今日一拟定佳，何必又待雨村。』贾政笑道：『你们不知，我自幼于花鸟山水题咏上就平平；如今上了年纪，且案牍劳烦，于这怡情悦性的文章上更生疏了。（老爷不善怡情悦性，只知杀情砍性。倒也有自知之明。设想老爷如果是个文学爱好者，必通情达理得多——当然也可能会有另一方面的短处，如感情用事、神经兮兮之类。）纵拟出来，不免迂腐古板，反使花柳园亭因而减色，转没意思。』众清客道：『这也无妨。我们大家看了公拟，各举所长，优则存之，劣则删之，未为不可。』贾政道：『此论极是。且喜今日天气和暖，大家去逛逛。』说着，起身引众人前往。贾珍先去园中知会众人。

可巧近日宝玉因思念秦钟，忧伤不已，（只说忧伤不已，无具体描写，使人怀疑宝玉对秦钟是否真的情深。）贾母常命人带他到新园中来戏耍。此时亦才进去，忽见贾珍来了，向他笑道：『你还不快出去，一会儿老爷来了。』宝玉听了，带着奶娘小厮们，一溜烟就出园来。方转过弯，顶头看见贾政引着众人来了，躲之不及，只得一旁站了。贾政近因闻得塾师称赞他专能对对，虽不喜读书，偏有些歪才，（有歪才，就另有正才了，歪正之分，有趣。）所以此时便命他跟入园中，意欲试他一试。宝玉未知何意，只得随往。

刚至园门，只见贾珍带领许多执事旁边侍立。贾政道：『你且把园门闭了，我们先瞧外面，再进去。』贾珍命人将门关上，贾政先秉正看门，只见正门五间，上面筒瓦泥鳅脊，那门栏窗槅，俱是细雕时新花样，并无朱粉涂饰；一色水磨群墙，下面白石台阶，凿成西番花样。左右一望，皆雪白粉墙，下面虎皮石，随意乱砌，自成纹理，不落富丽俗套，自是喜欢。（通过贾政眼睛大写园林，也是陌生化。）遂命开门，只见一带翠嶂挡在面前。众清客都道：『好山，好山！』贾政道：『非此一山，一进来园中所有之景悉入目中，则有何趣？』众人都道：『极是。非胸中大有丘壑，焉能想到这里。』

说毕，往前一望，见白石崚嶒，或如鬼怪，或似猛兽，纵横拱立；上面苔藓斑驳，或藤萝掩映，其中微露羊肠小径。贾政道：『我们就从此小径游去，回来由那一边出去，方可遍览。』（他怎么那么内行？说明已走过看过。）说毕，命贾珍前导，自己扶了宝玉，逶迤走进山口。抬头忽见山上有镜面白石一块，正是迎面留题处。贾政回头笑道：『诸公请看，此处题以何名方妙？』众人听说，也有说该题『叠翠』二字的，也有说该题『锦嶂』的，又有说『赛香炉』

的，又有说『小终南』的，种种名色，不止十几个。原来众客心中，早知贾政要试宝玉的才，故此只将些俗套来敷衍。宝玉也知此意。（当门客，容易吗？）

贾政听了，便回头命宝玉拟来。（写园林，写匾对，写贾政及宝玉，有机结合，亦景亦人。）宝玉道：『尝听见古人云：「编新不如述旧，刻古终胜雕今。」况此处并非主山正景，原无可题之处，不过是探景一进步耳。莫如直书古人「曲径通幽」这旧句在上，倒也大方。』（是宝玉炫才，也是《红》的作者炫才，又不时以贾政口吻敲打敲打，才就更高了。）众人听了，赞道：『是极，妙极！二世兄天分高，才情远，不似我们读腐了书的。』贾政笑道：『不当过奖他。他年小的人，不过以一知充十用，取笑罢了。再俟选拟。』

说着，进入石洞来，只见佳木茏葱，奇花烂灼，一带清流，从花木深处泻于石隙之下。再进数步，渐向北边，平坦宽豁，两边飞楼插空，雕甍绣槛，皆隐于山坳树杪之间。俯而视之，但青溪泻玉，石磴穿云，白石为栏，环抱池沼，石桥三港，兽面衔吐。桥上有亭。（好景——不长在。）贾政与诸人到亭内坐了，问：『诸公以何题此？』诸人都道：『当日欧阳公《醉翁亭记》有云：「有亭翼然」，就名「翼然」罢。』贾政笑道：『「翼然」虽佳，但此亭压水而成，还须偏于水题为称。依我拙裁，欧阳公句：「泻于两峰之间」，竟用他这一个「泻」字。』有一客道：『是极，是极。竟是「泻玉」二字妙。』贾政拈须寻思，因叫宝玉也拟一个来。宝玉回道：『老爷方才所说已是。但如今追究了去，似乎当日欧阳公题酿泉用一「泻」字则妥，今日此泉也用「泻」字，似乎不妥。况此处既为省亲别墅，亦当依应制之体，用此等字，亦似粗陋不雅。求再拟蕴藉含蓄者。』（咬文嚼字，书生一乐也。）贾政笑道：『诸公听此论何如？方才众人编新，你说「不如述古」；如今我们述古，你又说「粗陋不妥」。你且说你的。』宝玉道：『用「泻玉」二字，则不若「沁芳」二字，岂不新雅？』贾政拈须点头不语。众人都忙迎合，称赞宝玉才情不凡。贾政道：『匾上二字容易。再作一副七言对来。』宝玉四顾一望，机上心来，乃念道：

绕堤柳借三篙翠，隔岸花分一脉香。

（宝玉的遵命文学。也许古人的文学的一个重要用途就是待命以遵吧。）

贾政听了，点头微笑。众人又称赞个不已。于是出亭过池，一山一石，一花一木，莫不着意观览。（以文写景，以景引文。）忽抬头见前面一带粉垣，数楹修舍，有千百竿翠竹遮映。众人都道：『好个所在！』于是大家进入，只见进门便是曲折游廊，阶下石子漫成甬路；上面小小三间房舍，两明一暗，里面都是合着地步打的床几椅案。从里间房里，又有一小门，出去却是后园，有大株梨花并芭蕉，又有两间小小退步。后院墙下忽开一隙，得泉一派，开沟仅尺许，灌入墙内，绕阶缘屋至前院，盘旋竹下而出。贾政笑道：『这一处倒还好，若能月夜坐此窗下读书，也不枉虚生一世。』（又提了不开的那一壶了。）说着，便看宝玉，唬的宝玉忙垂了头，众人忙用闲话解说。又二客说：『此处的匾该题四个字。』贾政笑问：『那四个字？』一个道是：『淇水遗风。』贾政道：『俗。』又一个道是：『睢园遗迹。』贾政道：『也俗。』贾珍在旁说道：『还是宝兄弟拟一个来。』贾政道：『他未曾做，先要议论人家的好歹，可见就是个轻薄人。』众客道：『议论的极是，其奈他何。』贾政忙道：『休如此纵了他。』（时时不忘老子的尊严。）因命他道：『今日任你狂为乱道，先说出议论来，方许你做。方才众人说的，可有使得的否？』

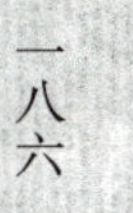

宝玉见问，便答道：『都似不妥。』贾政冷笑道：（冷笑云云，贾政态度渐渐差了。刚才还大致首肯的意思。）『怎么不妥？』宝玉道：『这是第一处行幸之所，必须颂圣方可。若用四字的匾，又有古人现成的，何必再做？』贾政道：『难道「淇水」「睢园」不是古人的？』宝玉道：『这太板了。莫若「有凤来仪」四字。』众人都哄然叫妙。贾政点头道：『畜生，畜生！可谓「管窥蠡测」矣。』（宝玉的遵命文学越好，发布命令者越要贬而低之，一、不让他翘尾巴，二、提醒列位：我是他老子！文章搞得再好也得管我叫爸爸！）因命：『再题一联来。』宝玉便念道：

宝鼎茶闲烟尚绿，幽窗棋罢指犹凉。

贾政摇头道：『也未见长。』说毕，引人出来。方欲走时，忽想起一事来，问贾珍道：『这些院落屋宇，并几案桌椅都算有了。还有那些帐幔帘子并陈设玩器古董，可也都是一处一处合式配就的么？』（顺便交代一下珍、琏的管理功能。）贾珍回道：『那陈设的东西早已添了许多，自然临期合式陈设。帐幔帘子，昨日听见琏兄弟说，还不全。那原是一起工程之时就画了各处的图样，量准尺寸，就打发人办去的。想必昨日得了一半。』贾政听了，便知此事不是贾珍的首尾，便叫人去唤贾琏。一时来了，贾政问他：『共有几种？现今得了几种？尚欠几种？』（不是不惯俗务么，又听这样具体的汇报做甚？想来不是贾政要听，而是曹公要让看官们听一听，震一震。也是铺陈，也是炫耀。如果不铺陈也不炫耀，又写小说做甚？）贾琏见问，忙向靴筒内取出靴掖内装的一个纸折略节来，看了一看，回道：『妆蟒绣堆、刻丝弹墨，并各色绸绫大小幔子一百二十架，昨日得了八十架，下欠四十架。帘子二百挂，昨俱得了。外有猩猩毡帘二百挂，湘妃竹帘一百挂，金丝藤红漆竹帘二百挂，黑漆竹帘二百挂，五彩线络盘花帘二百挂，每样得了一半，也不过秋

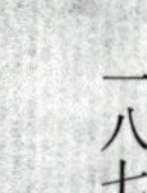

天都全了。椅搭、桌围、床裙、杌套，每分一千二百件，也有了。』（贾琏这位「秘书长」，有问必答，不怕突然袭击，应算合格称职。）

一面说，一面走，忽见青山斜阻。转过山怀中，隐隐露出一带黄泥墙，墙上皆用稻茎掩护。有几百枝杏花，如喷火蒸霞一般。里面数楹茅屋，外面却是桑、榆、槿、柘，各色树稚新条，随其曲折，编就两溜青篱。篱外山坡之下，有一土井，旁有桔槔辘轳之属；下面分畦列亩，佳蔬菜花，一望无际。（移步换景，美不胜收，语含得意，可与后面的荒园描写相对照。）

贾政笑道：『倒是此处有些道理。虽系人力穿凿，而入目动心，未免勾引起我归农之意。我们且进去歇息歇息。』（既是重农，更是回归自然之意。封建贵族的生活是极端封闭的，不能设想开放交流，但又不能完全绝对封闭，故国内求其野趣，求其包罗万象。我国园林之发达，不知和这种又封闭又希望万物皆备于我的心态有没有关系。）说毕，方欲进去，忽见篱门外路旁有一石，亦为留题之所，众人笑道：『更妙，更妙！此处若悬匾待题，则田舍家风一洗尽矣。立此一碣，又觉许多生色，非范石湖田家之咏不足以尽其妙。』贾政道：『诸公请题。』众人云：『方才世兄云：「编新不如述旧」，此处古人已道尽矣，莫若直书「杏花村」为妙。』贾政听了，笑向贾珍道：『正亏提醒了我。此处都好，只是还少一个酒幌，明日竟做一个来，就依外面村庄的式样，不必华丽，用竹竿挑在树梢头。』贾珍答应了，又回道：『此处竟不必养别样雀鸟，只养些鹅、鸭、鸡之类，才相称。』贾政与众人都说：『妙极。』贾政又向众人道：『「杏花村」固佳，只是犯了正村名，直待请名方可。』众客都道：『是呀。如今虚的，却是何字样好？』

大家正想，宝玉却等不得了，也不等贾政的命，便说道：『旧诗有云：「红杏梢头挂酒旗。」如今莫若且题以「杏帘在望」四字。』（遵命而文学，文学一阵子也便起性，就是说有了创作冲动了。文学的骨头，并不都是高贵的呀。）众人都道：『好个「在望」！又暗合「杏花村」意思。』宝玉冷笑道：『村名若用「杏花」二字，则俗陋不堪了。又有唐人诗云「柴门临水稻花香」，何不用「稻香村」的妙？』众人听了，越发同声拍手道：『妙！』贾政一声断喝：『无知的业障！你能知道几个古人，能记得几首旧诗，也敢在老先生前卖弄！方才那些胡说，也不过是试你的清浊，取笑而已，你就认真了！』（由贬而低之到骂而喝之，文学当真起了性，就会嫌放肆了。）

说着，引众人步入茆堂，里面纸窗木榻，富贵气象一洗皆尽。贾政心中自是欢喜，却瞅宝玉道：『此处如何？』众人见问，都忙悄悄的推宝玉教他说好。宝玉不听人言，便应声道：『不及「有凤来仪」多矣。』贾政听了道：『无知的蠢物，你只知朱楼画栋、恶赖富丽为佳，那里知道这清幽气象？终是不读书之过！』（表面上是贬园林的设计有不够天然处，实际上更像显派，可以硬着头皮「要」景。）宝玉忙答道：『老爷教训的固是，但古人尝云「天然」，此二字不知何意？』

众人见宝玉牛心，都怪他呆痴不改；今见问『天然』二字，众人忙道：『别的都明白，如何「天然」反不明白？「天然」者，天之自成，而非人力之所为也。』宝玉道：『却又来！此处置一田庄，分明是人力造作而成：远无邻村，近不负郭，背山山无脉，临水水无源，高无隐寺之塔，下无通市之桥，峭然孤出，似非大观，怎似先处有自然之理，得自然之趣？虽种竹引泉，亦不伤穿凿。古人云「天然图画」四字，正畏非其地而强为其地，非其山而强为其山，即百般精巧，终不相宜……」（表面上看是争论「稻香村」的景观设计，实际上与宝玉的总的思路相通。生在这种形式主义的富贵大家，究无天趣，与他见秦钟时的嗟叹同属一理。）未及说完，贾政气的喝命：「叉出去！」才出去，又喝命：「回来！」（叉出去！回来！太妙了。如果只叉出去，宝玉反倒解脱了。如果只回来，宝玉反倒入了围了。一会儿叉出去，一会儿回来，才是真真的老子呢。这也才是真正的贾宝玉呢。）命：「再题一联，若不通，一并打嘴！」宝玉只得念道：

新绿涨添浣葛处，好云香护采芹人。

贾政听了，摇头道：「更不好。」一面引人出来，转过山坡，穿花度柳，抚石依泉，过了荼蘼架，入木香棚，越牡丹亭，度芍药圃，入蔷薇院，来到芭蕉坞，盘旋曲折。忽闻水声潺潺，出于石洞；上则萝薜倒垂，下则落花浮荡。众人都道：「好景，好景！」贾政道：「诸公题以何名？」众人道：「再不必拟了，恰恰乎是『武陵源』三字。」贾政笑道：「又落实了，而且陈旧。」众人笑道：「不然就用『秦人旧舍』四字也罢。」宝玉道：「越发过露了。『秦人旧舍』说避乱之意，如何使得？莫若『蓼汀花溆』四字。」贾政听了道：「更是胡说。」

于是贾政进了港洞，又问贾珍：「有船无船？」贾珍道：「采莲船共四只，座船一只，如今尚未造成。」贾政笑道：「可惜不得入了。」贾珍道：「从山上盘道也可以进去。」（从低到高，要什么有什么。）说毕，在前导引，大家攀藤抚树过去。只见水上落花愈多，其水愈清，溶溶荡荡，曲折萦纡。池边两行垂柳，杂以桃杏遮天蔽日，真无一些尘土。忽见柳阴中又露出一个折带朱栏板桥来，度过桥去，诸路可通，便见一所清凉瓦舍，一色水磨砖墙，

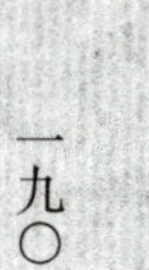

清瓦花堵。那大主山所分之脉，皆穿墙而过。（中国小说很少仔细写景的，这一回活写园景，堪称无双。）

贾政道：「此处这一所房子，无味的很。」因而步入门时，忽迎面突出插天的大玲珑山石来，四面群绕各式石块，竟把里面所有房屋悉皆遮住。且一株花木也无，只见许多异草：或有牵藤的，或有引蔓的，或垂山巅，或穿石脚，甚至垂檐绕柱，萦砌盘阶，或如翠带飘飖，或如金绳蟠屈，或实若丹砂，或花如金桂，味香气馥，非凡花之可比。（大写植物花草。）贾政不禁道：「有趣！只是不大认识。」有的说：「是薜荔藤萝。」贾政道：「薜荔藤萝那得有此异香？」宝玉道：「果然不是。这众草中也有藤萝薜荔，那香的是杜若蘅芜，那一种大约是茝兰，这一种大约是金葛，那一种是金薹草，这一种是玉蕗藤，红的自然是紫芸，绿的定是青芷。想来那《离骚》《文选》所有的那些异草，有叫作什么藿纳姜汇的，也有叫作什么纶组紫绛的，还有什么石帆、水松、扶留等样的，见于左太冲《吴都赋》。又有叫作什么绿荑的，还有什么丹椒、蘼芜、风莲，见于《蜀都赋》。如今年深岁改，人不能识，故皆象形夺名，渐渐的唤差了，也是有的……」（宝玉会有这些知识，但未见得如此清晰并且讲起来口若悬河。想来也是作者的意思。「红」中的人物是「活的人物」，但毕竟又是曹雪芹笔下的角色。承认后者，并不贬低这些人物的生动性生活性典型性，却又时时考虑到作者的匠心与难处。）未及说完，贾政喝道：「谁问你来？」唬的宝玉倒退，不敢再说。

贾政因见两边俱是超手游廊，便顺着游廊步入，只见上面五间清厦连着卷棚，四面出廊，绿窗油壁，更比前清雅不同。贾政叹道：「此轩中煮茶操琴，亦不必再焚香矣。」此造却出意外，诸公必有佳作新题，以颜其额，方

不负此。』众人笑道：『莫若「兰风蕙露」贴切了。』贾政道：『也只好用这四字。其联云何？』一人道：『我想了一对，大家批削改正。』道是：

麝兰芳霭斜阳院，杜若香飘明月洲。

众人道：『妙则妙矣！只是「斜阳」二字不妥。』那人引古诗『蘼芜满院泣斜阳』句，众人云：『颓丧，颓丧！』（人皆不喜颓丧，诗心偏常颓丧。诗人常常不招待见，颓丧是原因之一。）又一人道：『我也有一联，诸公评阅评阅。』念道：

三径香风飘玉蕙，一庭明月照金兰。

贾政拈须沉吟，意欲也题一联，忽抬头见宝玉在旁不敢作声，因喝道：『怎么你应说话时又不说了？还要等人请教你不成！』宝玉听了回道：『此处并没有什么「兰麝」「明月」「洲渚」之类，若要这样着迹说来，就题二百联也不能完。』贾政道：『谁按着你的头，教你必定说这些字样呢？』宝玉道：『如此说，则匾上莫若「蘅芷清芬」四字。』对联则是：

吟成豆蔻诗犹艳，睡足荼蘼梦也香。

贾政笑道：『这是套的「书成蕉叶文犹绿」，不足为奇。』众人道：『李太白「凤凰台」之作，全套「黄鹤楼」。只要套得妙。如今细评起来，方才这一联竟比「书成蕉叶」尤觉幽雅活动。』（众人道的话，是曹雪芹为贾宝玉、为自己的拟联辩护的话。想贬就贬，想斥就斥，想笑就笑，拟联的人不会这么自由，抓拟联的人才有如此优越。）贾政笑道：『岂有此理！』

说着，大家出来，走不多远，则见崇阁巍峨，层楼高起，面面琳宫合抱，迢迢复道萦纡。青松拂檐，玉兰绕砌，

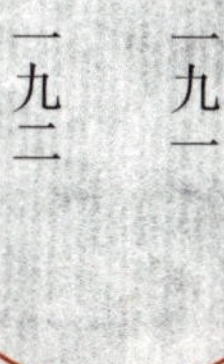

金辉兽面，彩焕螭头。贾政道：『这是正殿了。只是太富丽了些。』众人都道：『要如此方是。虽然贵妃崇尚节俭，然今日之尊，礼仪如此，不为过也。』（「尊」与「节俭」的悖论。）一面说，一面走，只见正面现出一座玉石牌坊，上面龙蟠螭护，玲珑凿就。贾政道：『此处书以何文？』众人道：『必是「蓬莱仙境」方妙。』贾政摇头不语。宝玉见了这个所在，心中忽有所动，（能走神，能有自己的精神世界精神游离，这是慧根，也是痴呆。）寻思起来，倒像在那里见过的一般，却一时想不起那年那月日的事了。贾政又命他题咏，宝玉只顾细思前景，全无心于此了。（虽是一心一意细写园林建筑，却能联系到梦中的太虚幻境。实与虚、真与假的流动，正是「红」的魅力，文学的魅力。）众人不知其意，只当他受了这半日折磨，精神耗散，才尽词穷了；再要留难逼迫着了急，或生出事来，倒不便。遂忙都劝贾政道：『罢了，明日再题罢了。』贾政心中也怕贾母不放心，遂冷笑道：『你这畜生，也竟有不能之时了。也罢，限你一日，明日题不来，定不饶你。这是第一要紧处所，要好生作来！』

说着，引人出来，再一观望，原来自进门至此，才游了十之五六。又值人来回，有雨村处遣人回话。贾政笑道：『此数处不能游了。虽如此，到底从那一边出去，也可略观大概。』说着，引客行来，至一大桥，水如晶帘一般奔入。原来这桥便是通外河之闸，引泉而入者。贾政因问：『此闸何名？』宝玉道：『此乃沁芳源之正流，即名「沁芳闸」。』贾政道：『胡说，偏不用「沁芳」二字。』（偏不用？老子要与儿子斗气吗？）

于是一路行来，或清堂，或茅舍，或堆石为垣，或编花为门，或山下得幽尼佛寺，或林中藏女道丹房，或长廊曲洞，或方厦圆亭，贾政皆不及进去。因半日未尝歇息，腿酸脚软，忽又见前面露出一所院落来，贾政道：『到

此可要歇息歇息了。」说着一径引入，绕着碧桃花，穿过竹篱花障编就的月洞门，俄见粉垣环护，绿柳周垂。贾政与众人进了门，两边尽是游廊相接，院中点衬几块山石，一边种几本芭蕉，那一边是一株西府海棠，其势若伞，丝垂金缕，葩吐丹砂。（天下好景好树，好房好水，尽入园中。）众人都道：「好花，好花！海棠也有，从没见过这样好的。」贾政道：「这叫做『女儿棠』，乃是外国之种，俗传出『女儿国』，故花最繁盛，亦荒唐不经之说耳。」众人道：「毕竟此花不同，『女国』之说，想亦有之。」宝玉云：「大约骚人咏士以此花红若施脂，弱如扶病，近乎闺阁风度，故以『女儿』命名。世人以讹传讹，都未免认真了。」众人都说：「领教，妙解！」

一面说话，一面都在廊下榻上坐了。贾政因道：「想几个什么新鲜字来题？」一客道：「『蕉鹤』二字妙。」又一个道：「『崇光泛彩』方妙。」贾政与众人都道：「好个『崇光泛彩』！」宝玉也道：「妙。」又说：「只是可惜了。」众人问：「如何可惜？」宝玉道：「此处蕉棠两植，其意暗蓄『红』『绿』二字在内，若说一样，遗漏一样，便不足取。」贾政道：「依你如何？」宝玉道：「依我，题『红香绿玉』四字，方两全其美。」贾政摇头道：「不好，不好！」

说着，引人进入房内。只见其中收拾的与别处不同，竟分不出间隔来的。原来四面皆是雕空玲珑木板，或『流云百蝠』，或『岁寒三友』，或山水人物，或翎毛花卉，或集锦，或博古，或万福万寿，各种花样，皆是名手雕镂，五彩销金嵌玉的。一槅一槅，或贮书，或设鼎，或安置笔砚，或供设瓶花，或安放盆景，其槅式样，或圆，或方，或葵花蕉叶，或连环半璧。真是花团锦簇，玲珑剔透。倏尔五色纱糊，竟系小窗，倏尔彩绫轻覆，竟如幽户。且满墙皆是随依古董玩器之形抠成的槽子，如琴、剑、悬瓶之类，俱悬于壁，却都是与壁相平的。众人都赞：「好精致！难为怎么做的！」（美丽、豪华、讲究、舒适，这些东西令人眷恋，而令人眷恋的东西似亦令人丧失斗志、令人忧伤。）

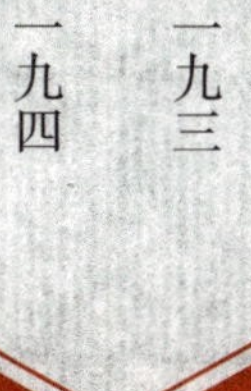

原来贾政走了进来，未到两层，便都迷了旧路，左瞧也有门可通，右瞧也有窗暂隔，及到跟前，又被一架书挡住。回头又有窗纱明透门径可行，及至门前，忽见迎面也进来了一起人，与自己的形相一样，——却是一架大玻璃镜。转过镜去，一发见门多了。（室内也是如此迷人。）贾珍笑道：「老爷随我来，从此门出去便是后院，出了后院，倒比先近了。」引着贾政及众人转了两层纱厨，果得一门出去，院中满架蔷薇。转过花障，则见青溪前阻。众人咤异：「这水又从何而来？」贾珍遥指道：「原从那闸起流至那洞口，从东北山坳里引到那村庄里，又开一道岔口，引至西南上，共总流到这里，仍旧合在一处，从那墙下出去。」众人听了，都道：「神妙之极！」说着，忽见大山阻路，众人都迷了路，（越设计得好就越显小气，盖怎么设计也改不了封闭的特性，只好自己绕来绕去，自找麻烦。）贾珍笑道：「随我来。」乃在前导引，众人随着，由山脚下一转，便是平坦大路，豁然大门现于面前，众人都道：「有趣，有趣！搜神夺巧，至于此极！」（搜神夺巧，费尽心机。）于是大家出来。

写大观园，省亲别墅也是先从大处写全景写轮廓，再一一依情节发展方便与需要写下去。与写冷子兴演说，林黛玉初见，刘老老一进一样的路子。中国式的思路，先大后小，先总后细，先抓根本，再推演下去。这样一些去处，越是讲究，越会产生一种寂寞孤独之感。园内过于集中与完满，园外一片荒芜贫穷混乱肮脏。这是其一。花草山水越多，四时更迭，光阴流转，逝者如斯之感越发浓了。此其二。建筑讲究过来讲究过去，反而衬托出人的脆弱，人生的脆弱短暂。此其三。徜徉于园林之中，本身就更与进取心态、经风雨见世面闯世界的心志无缘。此其四。园林中是培养不出发现美洲新大陆的哥伦布、绕地球一周的麦哲伦来的。）

那宝玉一心只记挂着里边姊妹们，又不见贾政吩咐，只得跟到书房。贾政忽想起来道：『你还不去，看老太太记念你。难道还逛不足么？』宝玉方退了出来。至院外，就有跟贾政的小厮上来抱住，说道：『今日亏了老爷喜欢，方才老太太打发人出来问了几次，我们回说老爷喜欢；若不然，老太太叫你进去了，就不得展才了。（老太太、老爷、宝玉三者的关系，为此后的宝玉挨打勾勒好了布局。）人人都说，你才那些诗比众人都强，今儿得了彩头，该赏我们了。』宝玉笑道：『每人一吊。』众人道：『谁没见那一吊钱！把这荷包赏了罢。』说着，一个个都上来解荷包，解扇袋，不容分说，将宝玉所佩之物，尽行解去。（众小厮和宝玉的关系比较平等随意，不知是否说明宝玉尚有某种民主作风。）又道：『好生送上去罢。』一个个围绕着，送至贾母门前。那时贾母正等着他，见他来了，知道不曾难为他，心中自是喜欢。

少时袭人倒了茶来，见身边佩物，一件不存，因笑道：『带的东西必又是那起没脸的东西们解了去了。』林黛玉听说，走过来一瞧，果然一件无存，因向宝玉道：『我给你的那个荷包也给他们了？你明儿再想我的东西，可不能够了！』说毕，生气回房，将前日宝玉嘱咐他做而未完之香袋，拿起剪子来就铰。（黛玉的火来得忒快了些！恐不仅是由于带的东西被小厮们解去，也有对袭人的某种情绪。袭人可以付诸一笑，黛玉可不能这样轻贱，黛玉要恼要怒。袭人先发现的，黛玉不能无所反应……以及其他。）宝玉见他生气，便忙赶过来，早已剪破了。宝玉曾见过这香袋，虽未完工，却十分精巧，无故剪了，却也可气。因忙把衣领解了，从里面衣襟上将所系荷包解了下来，递与黛玉道：『你瞧瞧，这

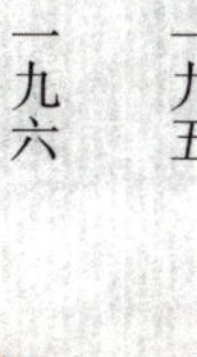

是什么东西？我可曾把你的东西给人？』林黛玉见他如此珍重，带在里面，可知是怕人拿去之意，因此又自悔莽撞剪了香袋，低着头一言不发。宝玉道：『你也不用剪，我知你是懒怠给我东西。我连这荷包奉还，何如？』说着掷向他怀中而去。黛玉越发气得哭了，拿起荷包又剪。宝玉忙回身抢住，笑道：『好妹妹，饶了他罢！』黛玉将剪子一摔，拭泪说道：『你不用合我好一阵歹一阵的，要恼就撂开手。』（好一阵，歹一阵，永生难忘。）说着赌气上床，面向里倒下拭泪。禁不住宝玉上来『妹妹』长『妹妹』短赔不是。

前面贾母一片声找宝玉。众人回说：『在林姑娘房里。』贾母听说道：『好，好，好！让他姊妹们一处玩玩罢。才他老子拘了他这半天，让他开心一会子罢。只别叫他们拌嘴。』众人答应着。

黛玉被宝玉缠不过，只得起来道：『你的意思不叫我安生，我就离了你。』说着往外就走。宝玉笑道：『你到那里，我跟到那里。』一面仍拿着荷包来带上。黛玉伸手抢道：『你说不要，这会子又带上，我也替你怪臊的！』说着『嗤』的一声笑了。宝玉道：『好妹妹，明儿另替我做个香袋儿罢。』黛玉道：『那也瞧我的高兴罢了。』（真是两小无猜。人生能有几次这样的逗嘴？余年已古稀，读之泪下矣。人生能有几次痴？这毕竟是宝黛爱情的最清新最快乐的时期。）

一面说，一面二人出房，到王夫人上房中去了，可巧宝钗亦在那里。此时王夫人那边热闹非常。原来贾蔷已从姑苏采买了十二个女孩子并聘了教习以及行头等事来了。那时薛姨妈另迁于东北上一所幽静房舍居住，将梨香院另行修理了，就令教习在此教演女戏；又另派家中旧曾学过歌唱的众女人们——如今皆是皤然老妪，着他们带领管理。（一手抓物质硬件，一手抓文艺软件。）就令贾蔷总理其日月出入银钱等事，以及诸凡大小所需之物

料账目。

又有林之孝家的来回：『采访聘买得十二个小尼姑、小道姑，都到了，连新做的二十分道袍也有了。（还有宗教软件。物质条件越好，越要点缀解闷散心。尼姑道姑，本是神职人员，竟成为依附权贵的奴隶商品。真正的佛尊是权贵。）外又有一个带发修行的，本是苏州人氏，祖上也是读书仕宦之家，因自幼多病，买了许多替身，皆不中用，到底这姑娘入了空门，方才好了，所以带发修行。今年十八岁，取名妙玉。如今父母俱已亡故，身边只有两个老嬷嬷、一个小丫头伏侍。文墨也极通，经典也极熟，模样又极好。因听说「长安」都中有观音遗迹，并贝叶遗文，去年随了师父上来，现在西门外牟尼院住着。他师父精演先天神数，于去冬圆寂了。遗言说他：「不宜回乡，在此静候，自有结果。」所以未曾扶灵回去。』（妙玉一出场，就给人以不祥之感。这些地方写得具体细致，更突出了奢侈、气派、烈火烹油、鲜花着锦。）王夫人便道：『这样我们何不接了他来？』林之孝家的回道：『若请他，他说：「侯门公府，必以贵势压人，我再不去的。」』王夫人道：『他既是宦家小姐，自然要傲些，就下个请帖请他何妨？』（妙玉再傲，也是上述宗教软件中的一件罢了。）林之孝家的答应着出去，叫书启相公写个请帖去请妙玉，次日遣人备车轿去接。不知后来如何，且听下回分解。

好一个大观园，专写风光园林，极易令人生厌，与试才题对额联系，布局甚好。

这样好的园林，令人想起法国的凡尔赛宫，西班牙的阿拉伯花园，比利时的布鲁诺街区，令人心碎！美是一种令人心碎的忧郁。

第十八回　皇恩重元妃省父母　天伦乐宝玉呈才藻

话说彼时有人回，工程上等着糊东西的纱绫，请凤姐去开库拿纱绫；又有人来回，请凤姐开库收金银器皿。（阔绰时则无一不阔绰，无微不阔绰。）王夫人并上房丫鬟等皆不得空闲。宝钗说：『咱们别在这里碍手碍脚。』说着，同宝玉等往迎春房中来。

王夫人日日忙乱，直到十月里才全备了，监督都交清账目；各处古董文玩，俱已陈设齐备；采办鸟雀，自仙鹤、鹿、兔以及鸡、鹅等，已买全，交于园中各处饲养；贾蔷那边也演出二十出杂戏来；一班小尼姑、道姑也都学会念佛经咒。（古董文玩，鸟雀鹤兔，优伶杂戏，尼姑道姑，真假山水，围帘幔帐……全放到了一个平面上。算不算『后现代主义』呢？一笑。）于是贾政方略心安意畅，又请贾母等到园中，色色斟酌，点缀妥当，再无些微不当之处。贾政才敢题本。本上之日，奉旨：『于明年正月十五日上元之日贵妃省亲。』贾府奉了此旨，一发日夜不闲，连年亦不曾好生过的。（自己给自己找事，确是人类一大本领。）

转眼元宵在迩，自正月初八，就有太监出来，先看方向：何处更衣，何处燕坐，何处受礼，何处开宴，何处退息。（先遣人员。）又有巡察地方总理关防太监，带了许多小太监来各处关防，挡围幕；（保卫。）指示贾宅人员何处出入，何处进膳，何处启事，种种仪注。（典礼、礼宾、仪仗。）外面又有工部官员并五城兵马司打扫街道，撵逐闲人。贾赦等监督匠人扎花灯烟火之类，至十四日，俱已停妥。这一夜，上下通不曾睡。（鸡飞狗跳，喧天动地。）

至十五日五鼓，自贾母等有爵者，俱各按品大妆。大观园内帐舞蟠龙，帘飞彩凤，金银焕彩，珠宝生辉，鼎焚百合之香，瓶插长春之蕊，静悄悄无一人咳嗽。（无一人咳嗽，隆重氛围立现。可见中国人亦非都随地吐痰。）贾赦等在西街门外，贾母等在荣府大门外。街头巷口，用围幕挡严。正等的不耐烦，忽见一个太监骑匹马来了，贾政接着，问其消息。太监云：『早多着呢！未初用晚膳，未正还到宝灵宫拜佛，酉初进大明宫领宴看灯方请旨，只怕戌初才起身呢。』（活动的重要性与『提前量』成正比。）凤姐听了道：『既这样，老太太与太太且请回房，等到了时候，再来也未为晚。』于是贾母等且自便去了。园中赖凤姐照料。执事人等，带领太监们去吃酒饭，一面传人挑进蜡烛，各处点起灯来。（威风太过，便近虚枉闹腾。）

忽听外面跑马之声不一，有十来个太监，喘吁吁跑来拍手儿。（用拍手代替说话，更加谨肃。这些细节真实完备细密结实，不大可能是虚构。曹公当年确实见过大世面。）这些太监都会意，知道是来了，各按方向站立。贾赦领合族子弟在西街门外，贾母领合族女眷在大门外迎接。半日静悄悄的。忽见两个太监骑马缓缓而来，至西街门下了马，将马赶出围幕之外，便面西站立。半日又是一对，亦是如此。少时便来了十来对，方闻隐隐鼓乐之声，一对对龙旌凤翣，雉羽宫扇，又有销金提炉，焚着御香；然后一把曲柄七凤金黄伞过来，便是冠袍带履。又有执事太监捧着香巾、绣帕、漱盂、拂尘等物。一队队过完，后面方是八个太监抬着一顶金顶金黄绣凤銮舆，缓缓行来。（荣华富贵，已至其极。）贾母等连忙跪下，早有太监过来，扶起贾母等，（一跪一扶，俱甚得体。）那銮舆抬入大门、仪门往东一所院落门前，

有太监跪请下舆更衣。于是抬舆入门，太监散去，只有昭容、彩嫔等引元春下舆。只见苑内各色花灯烟灼，皆系纱绫扎成，精致非常。上面有一灯匾，写着『体仁沐德』四个字。元春入室，更衣出，复上舆进园。只见园中香烟缭绕，花影缤纷，处处灯光相映，时时细乐声喧，说不尽这太平景象，富贵风流。（说不尽太平景象，却孕育着那么多危险。）

却说贾妃在轿内看了此园内外光景，因点头叹道：『太奢华过费了！』（叹也白叹。）忽又见太监跪请登舟，贾妃下舆登舟，只见清流一带，势若游龙，两边石栏上，皆系水晶玻璃各色风灯，点的如银光雪浪；上面柳杏诸树，虽无花叶，却用各色绸绫纸绢及通草为花，粘于枝上，每一株悬灯万盏；更兼池中荷荇凫鹭之属，亦皆系螺蚌羽毛做就的，诸灯上下争辉，真是玻璃世界，珠宝乾坤。（今人曾用此法拍电影。）船上又有各种盆景灯，珠帘绣幕，桂楫兰桡，自不必说。已而入一石港，港上一面匾灯，明现着『蓼汀花溆』四字。

看官听说：这『蓼汀花溆』四字及『有凤来仪』等字，皆系上回贾政偶试宝玉之才，何至便认真用了？想贾府世代诗书，自有一二名手题咏，岂似暴发之家，竟以小儿语搪塞了事呢？只因当日这贾妃未入宫时，自幼亦系贾母教养。后来添了宝玉，贾妃乃长姊，宝玉为幼弟，贾妃念母年将迈，始得此弟，是以独爱怜之。（本来这一回的主角是元妃，仍不忘拉到宝玉身上。）且同侍贾母，刻未相离。那宝玉未入学之先，三四岁时，已得贾妃口传教授了几本书，识了数千字在腹中。虽为姊弟，有如母子。自入宫后，时时带信出来与父兄说：『千万好生扶养，不严不能成器；过严恐生不虞，且致祖母之忧。』（也是辩证的。但更多是保护。）眷念之心，刻刻不忘。前日贾政闻塾师

赞他尽有才情，故于游园时聊一试之，虽非名公大笔，却是本家风味；且使贾妃见之，知爱弟所为，亦不负其平日切望之意。因此故将宝玉所题用了。（不但有奶奶贾母的宠爱，又加上贵人姐姐的宠爱，分量更重了。）那日未题完之处，后来又补题了许多。

且说贾妃看了四字，笑道：『「花溆」二字便好，何必「蓼汀」？』（地位高的人都喜欢当编辑，改别人的文字。）侍坐太监听了，忙下舟登岸，飞传与贾政，贾政即刻换了。彼时舟临内岸，去舟上舆，便见琳宫绰约，桂殿巍峨，石牌坊上『天仙宝境』四大字，贾妃命换了『省亲别墅』四字。（怎么即刻能换？似也应借此吹一吹描一描。终审级别，毕竟高明。）于是进入行宫，只见庭燎绕空，香屑布地，火树琪花，金窗玉槛。说不尽帘卷虾须，毯铺鱼獭，鼎飘麝脑之香，屏列雉尾之扇。真是：

金门玉户神仙府，桂殿兰宫妃子家。

贾妃乃问：『此殿何无匾额？』随侍太监跪启道：『此系正殿，外臣未敢擅拟。』贾妃点头不语。（点头后面加了『不语』二字——本来写贾妃点头即可，似有无声的感慨：自己成了『贵妃』，而家人成了『外臣』了。还语什么呢？）礼仪太监请升座受礼，两阶乐起。二太监引贾赦贾政等于月台下排班上殿，昭容传谕曰：『免。』乃退出。又引荣国太君及女眷等自东阶升月台上排班，昭容再谕曰：『免。』于是亦退。（全部举止都礼仪化、程序化，从而形式化了。）

茶三献，贾妃降座，乐止。退入侧室更衣，方备省亲车驾出园。至贾母正室，欲行家礼，贾母等俱跪止之。贾妃垂泪，（跪止，焉得不垂泪。祖母给你跪下了，什么滋味？）彼此上前厮见，一手挽贾母，一手挽王夫人，三个人满心皆有许多话，但说不出，只是呜咽对泣而已。邢夫人、李纨、王熙凤、迎春、探春、惜春等，俱在旁垂泪无言。半日，贾妃方忍悲强笑，安慰贾母王夫人道：『当日既送我到那不得见人的去处，好容易今日回家，娘儿们一会不说不笑，反到哭个不了，一会子我去了，又不知多早晚才能一见！』（呜呼，哀哉！）说到这句，不禁又哽咽起来。邢夫人忙上来劝解。贾母等让贾妃归坐，又逐次一一见过，又不免哭泣一番。（极盛大繁华的场面，极凄怆压抑的情感，这是一个反差，使此回颇有戏剧性。）然后东西两府执事人等在外厅行礼。其媳妇丫鬟行礼毕。贾妃叹道：『许多亲眷，可惜都不能见面。』王夫人启道：『现有外亲薛王氏及宝钗黛玉在外候旨。外眷无职，不敢擅入。』贾妃命请来相见。一时薛姨妈等进来，欲行国礼，命免过，上前各叙阔别。又有贾妃原带进宫的丫鬟抱琴等叩见，贾母连忙扶起，命人别室款待。（别室款待，周到。）执事太监及彩嫔昭容各侍从人等，宁府及贾赦那宅两处自有人款待，只留三四个小太监答应。母女姊妹，叙些久别情景，及家务私情。（元妃省亲，既不乏套话、官话、礼仪、过场，又不失亲情人情之真，能掌握到这个分寸，如非过来人，也很难做到。）

又有贾政至帘外问安，贾妃于内行参等事。又向其父说道：『田舍之家，齑盐布帛，得遂天伦之乐；今虽富贵，骨肉分离，终无意趣。』贾政亦含泪启道：『臣草芥寒门，鸠群鸦属之中，岂意得征凤鸾之瑞。今贵人上锡天恩，下昭祖德，此皆山川日月之精奇，祖宗之远德钟于一人，幸及政夫妇。且今上体天地生生之大德，垂古今未有之旷恩，虽肝脑涂地，岂能报效于万一！惟朝乾夕惕，忠于厥职。伏愿我君万岁千秋，乃天下苍生之福也。贵妃切勿以政夫妇残年为念，更祈自加珍爱，惟勤慎肃恭以侍上，庶不负上眷顾隆恩也。』（中国儒生的忠君爱君意识，

也是长期培育熏陶积淀的结果。贾政这一段话，颇有真情，特别是『勿以政夫妇残年为念』几字，更是把亲子之情和忠君肝脑涂地之情合起来写，令人感动，令人欷歔不已。）贾妃亦嘱以『国事宜勤，暇时保养，切勿记念。』贾政又启：『园中所有亭台轩馆，皆系宝玉所题；如果有一二可寓目者，请即赐名为幸。』元妃听了宝玉能题，便含笑说道：『果进益了。』贾政退出。元妃因问：『宝玉因何不见？』贾母乃启道：『无职外男，不敢擅入。』元妃命引进来。小太监引宝玉进来，先行国礼毕，命他近前，携手揽于怀内，又抚其头颈笑道：『比先前长了好些……』一语未终，泪如雨下。（宝玉是一个受宠者，受『红』的作者宠爱，也受元妃的殊宠。『泪如雨下』四字本是熟语套语，用在这里仍有极强的感染力。）

尤氏凤姐等上来启道：『筵宴齐备，请贵妃游幸。』元妃起身，命宝玉导引，遂同诸人步至园门前。早见灯光之中，诸般罗列，进园先从『有凤来仪』『红香绿玉』『杏帘在望』『蘅芷清芬』等处，登楼步阁，涉水缘山，眺览徘徊。一处处铺陈不一，一桩桩点缀新奇。贾妃极加奖赞，又劝：『以后不可太奢了，此皆过分。』（贾妃一定要戒奢。众人一定要以奢示忠，以奢示敬。所以，一面戒，一面继续奢下去。）既而来至正殿，谕免礼归坐，大开筵宴，贾母等在下相陪，尤氏、李纨、凤姐等捧羹把盏。

元妃乃命笔砚伺候，亲拂罗笺，择其喜者赐名。题其园之总名曰『大观园』，正殿匾额云：『顾恩思义』，对联云：

天地启宏慈，赤子苍生同感戴；
古今垂旷典，九州万国被恩荣。

又改题：『有凤来仪』赐名『潇湘馆』；『红香绿玉』改作『怡红快绿』赐名『怡红院』；『蘅芷清芬』赐名『蘅芜院』；『杏帘在望』赐名『浣葛山庄』；正楼曰『大观楼』，东面飞楼曰『缀锦楼』，西面叙楼曰『含芳阁』；更有『蓼风轩』『藕香榭』『紫菱洲』『荇叶渚』等名。又有四字匾额如『梨花春雨』『桐剪秋风』『荻芦夜雪』等名，不可胜纪。（从众清客的七嘴八舌，到宝玉的才思敏捷，再到元妃的终审拍板，文字上确有一个提高的过程。）又命旧有匾联不可摘去。于是先题一绝句云：

衔山抱水建来精，多少工夫筑始成。
天上人间诸景备，芳园应锡『大观』名。（此诗不佳，盖题名更要求大气和眼光，而诗更要求文才。）

写毕，向诸姊妹笑道：『我素乏捷才，且不长于吟咏，姊妹辈素所深知；今夜聊以塞责，不负斯景而已。异日少暇，必补撰『大观园记』并『省亲颂』等文，以记今日之事。（这笔文债算是永远地欠下了。）妹等亦各题一匾一诗，随意发挥，不可为我微才所缚。且知宝玉竟能题咏，一发可喜。此中潇湘馆蘅芜苑二处，我所极爱；次之怡红院浣葛山庄，此四大处，必得别有章句题咏方妙。前所题之联虽佳，如今再各赋五言律一首，使我当面试过，方不负我自幼教授之苦心。』宝玉只得答应了，下来自去构思。

迎春、探春、惜春三人中，要算探春又出于姊妹之上，然自忖亦难与薛林争衡，只得勉强随众塞责而已。李纨也勉强凑成一律。贾妃挨次看姊妹们的，写道是：

旷性怡情（匾额）　迎春

园成景物特精奇，奉命羞题额旷怡。
谁信世间有此境，游来宁不畅神思？

万象争辉（匾额）　探春

名园筑就势巍巍，奉命多惭学浅微。
精妙一时言不尽，果然万物有光辉。

文章造化（匾额）　惜春

山水横拖千里外，楼台高起五云中。
园修日月光辉里，景夺文章造化功。

文采风流（匾额）　李纨

秀水明山抱复回，风流文采胜蓬莱。
绿裁歌扇迷芳草，红衬湘裙舞落梅。
珠玉自应传盛世，神仙何幸下瑶台。
名园一自邀游赏，未许凡人到此来。（李纨此诗反比三春好些。细揣摩，甚至不无讽喻。）

凝晖钟瑞（匾额）　薛宝钗

芳园筑向帝城西，华日祥云笼罩奇。

高柳喜迁莺出谷，修篁时待凤来仪。
文风已著宸游夕，孝化应隆归省时。
睿藻仙才瞻仰处，自惭何敢再为辞？

世外仙源（匾额）　林黛玉

宸游增悦豫，仙境别红尘。
借得山川秀，添来气象新。
香融金谷酒，花媚玉堂人。
何幸邀恩宠，宫车过往频。（黛玉也是遵命讴歌，大大良民。）

元妃看毕，称赏一番，又笑道：『终是薛林二妹之作与众不同，非愚姊妹所及。』（众人奉命赋诗，既是制造吉庆气氛，也是联欢、游戏，给众姊妹以参与其盛的机会——也给曹雪芹以一次次大显身手的机会。此诸诗虽乏善可陈，堆到一起却也可观——也算以量胜质。古代重视诗、文，轻视小说，作者一写到诗就颇来精神，源出于此。）原来林黛玉安心今夜大展奇才，将众人压倒，不想贾妃只命一匾一咏，倒不好违谕多做，只胡乱做一首五言律应命罢了。

彼时宝玉尚未做完，才做了『潇湘馆』与『蘅芜苑』两首，正做『怡红院』一首，起稿内有『绿玉春犹卷』一句。宝钗转眼瞥见，便趁众人不理论，推他道：『贵人因不喜「红香绿玉」四字，才改了「怡红快绿」；你这会子偏又用「绿玉」二字，岂不是有意和他分驰了？况且蕉叶之典故颇多，再想一个改了罢。』宝玉见宝钗如此说，便拭汗说道：『我这会子总想不起什么典故出处来。』宝钗笑道：『你只把「绿玉」的「玉」字改作「蜡」字就是了。』（早蒙宝姐姐关爱。）

宝玉道：『「绿蜡」可有出处？』宝钗悄悄的咂嘴点头笑道：『亏你今夜不过如此，将来金殿对策，你大约连「赵钱孙李」都忘了呢！唐朝韩翊咏芭蕉诗头一句：「冷烛无烟绿蜡干」，都忘了么？』（乘机掉一掉书袋，亦大乐事。）宝玉听了，不觉洞开心意，笑道：『该死！眼前现成之句一时竟想不到。姐姐真可谓「一字师」了。从此只叫你师傅，再不叫姐姐了。』宝钗亦悄悄的笑道：『还不快做上去，只姐姐妹妹的。谁是你姐姐？那上头穿黄袍的才是你姐姐呢。』（有点逗趣的意思，也有羡慕贵人的意味。）一面说笑，因怕他耽延工夫，遂抽身走开了。

宝玉续成了此首，共三首。此时黛玉未得展才，心上不快。因见宝玉构思太苦，走至案旁，知宝玉只少『杏帘在望』一首，因叫他抄录前三首，却自己吟成一律，写在纸条上，搓成个团子，掷向宝玉跟前。宝玉打开一看，觉比自己做的三首高得十倍，遂忙恭楷誊完呈上。（宝玉本是聪明灵秀之人，但只要与女孩子们特别是与黛玉以及宝钗在一起，就形同傻子。智商大不如众女子。这里当然有艺术夸张——小说毕竟是小说。钗给以指点，黛干脆代劳，二人性格不同，与宝玉的关系不同，助宝玉的方法也不同。）贾妃看是：

有凤来仪　宝玉

秀玉初成实，堪宜待凤凰。
竿竿青欲滴，个个绿生凉。
迸砌防阶水，穿帘碍鼎香。
莫摇分碎影，好梦正初长。

蘅芷清芬

蘅芜满静苑，萝薜助芬芳。
软衬三春草，柔拖一缕香。
轻烟迷曲径，冷翠湿衣裳。
谁谓『池塘』曲，谢家幽梦长。

怡红快绿

深庭长日静，两两出婵娟。
绿蜡春犹卷，红妆夜未眠。
凭栏垂绛袖，倚石护清烟。
对立东风里，主人应解怜。（这三首诗并不比黛玉代做的第四首差。）

杏帘在望

杏帘招客饮，在望有山庄。
菱荇鹅儿水，桑榆燕子梁。
一畦春韭绿，十里稻花香。

盛世无饥馁，何须耕织忙。（黛玉不忘歌升平而颂圣世，固亦良民百姓也。写得自然流畅。）

贾妃看毕，喜之不尽，说：『果然进益了！』又指『杏帘』一首为四首之冠，遂将『浣葛山庄』改为『稻香村』。又命探春将方才十数首诗，另以锦笺誊出，令太监传与外厢。贾政等看了，都称颂不已。（不知是否纯文艺的批评。回到宝玉的思路上，但贾政这次为何不挑出宝玉的诗骂几句『畜牲』，莫非堂堂老子见儿子沾了乃姊的势力便没了脾气了么？）贾政又进《归省颂》。元春又命以琼酪金脍等物，赐与宝玉并贾兰。（为何这些活动都没有贾环的份儿？连幼小的贾兰都在眷顾之中。探春同样是庶出，可见问题没有出在嫡庶上。从元春到贾府衮衮诸公诸婆，直到曹雪芹，都不待见贾环。）此时贾兰尚幼，未谙诸事，只不过随母依叔行礼而已。

那时贾蔷带领一班女戏子在楼下，正等得不耐烦，只见一个太监飞跑下来，说：『做完了诗了，快拿戏目来！』贾蔷忙将戏目呈上，并十二个人的花名册子。少时，点了四出戏：第一出，《豪宴》；第二出，《乞巧》；第三出，《仙缘》；第四出，《离魂》。（四出戏的排列，戏名不无预兆。）贾蔷忙张罗扮演起来，一个个歌欺裂石之音，舞有天魔之态，虽是妆演的形容，却做尽悲欢情状。

刚演完了，一个太监执一金盘糕点之属进来，问：『谁是龄官？』贾蔷便知是赐龄官之物，连忙接了，命龄官叩头。太监又道：『贵妃有谕，说：「龄官极好，再做两出戏，不拘那两出就是了。」』贾蔷忙答应了，因命龄官做《游园》《惊梦》二出。龄官自为此二出原非本角之戏，执意不从，定要做《相约》《相骂》二出。（龄官居然有此骨气，不服行政命令，坚持艺术规律！）贾蔷扭他不过，只得依他做了。贾妃甚喜，命：『莫难为了这女孩子，

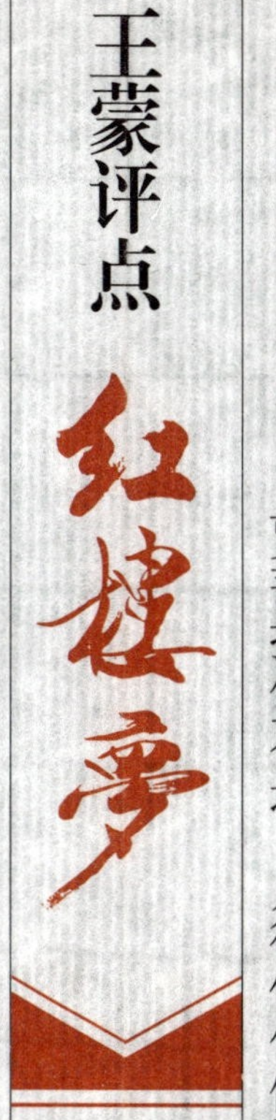

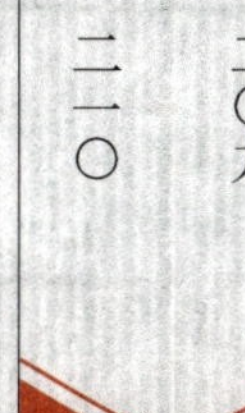

好生教习。』额外赏了两匹宫绸，两个荷包，并金银锞子食物之类。（地位虽低也可以受宠。虽然受宠地位仍然低。抓完文艺紧接着抓宗教，与采购时思路同，反正都是精神生活方面的消费。）然后撤筵，将未到之处，复又游玩。忽见山环佛寺，忙盥手进去焚香拜佛，又题一匾云：『苦海慈航』。又额外加恩与一班幽尼女道。

少时，太监跪启：『赐物俱齐，请验按例行赏。』乃呈上略节。贾妃从头看了无话，即命照此而行。太监下来，一一发放。原来贾母的是金玉如意各一柄，沉香拐杖一根，伽楠念珠一串，『富贵长春』宫缎四匹，『福寿绵长』宫绸四匹，紫金『笔锭如意』锞十锭，『吉庆有余』银锞十锭。邢夫人等二分，只减了如意、拐、珠四样。贾敬、贾赦、贾政等每分御制新书二部，宝墨二匣，金银盏各二只，表礼按前。宝钗黛玉诸姊妹等，每人新书一部，宝砚一方，新样格式金银锞二对。宝玉亦同。贾兰是金银项圈二个，金银锞二对。尤氏、李纨、凤姐等皆金银锞四锭，表礼四端。（写到各种物——礼物、设备、财产、饰物……之时，作者的炫耀依恋之情溢于语表，个中又包含着哀叹的潜台词：『我们当年曾怎样地阔过，而今……还能说什么呢？』物质的光泽，物质的群体，物质的微笑。）另有表礼二十四端，清钱一千串，是赏与贾母王夫人及各姊妹房中奶娘众丫鬟的。贾珍、贾琏、贾环、贾蓉等皆是表礼一端，金银锞一对。（提到贾环，可见其『法定』身份并不差。）其余彩缎百匹，白银千两，御酒数瓶，是赐东西两府及园中管理工程、陈设、答应及司戏、掌灯诸人的。外又有清钱五百串，是赐厨役、优伶、百戏、杂行人等的。（兼顾人众，各得其所。）

众人谢恩已毕，（其实是谢恩无毕，谢恩不已。）执事太监启道：『时已丑正三刻，请驾回銮。』贾妃不由的满眼又滚下泪来，却又勉强笑着，（泪下而强笑，拉手而不放，贤哉贾妃，哀哉贾妃，浩荡哉上恩！）拉了贾母王夫人的手不忍放，

再四叮咛：『不须记挂，好生保养。如今天恩浩荡，一月许进内省视一次，见面尽容易的，何必过悲。倘明岁天恩仍许归省，不可如此奢华糜费了。』贾母等已哭的哽噎难言了。贾妃虽不忍别，奈皇家规矩，违错不得的，只得忍心上舆去了。这里诸人好容易将贾母劝住，及王夫人搀扶出园去了。未知如何，下回分解。

烈火烹油，鲜花着锦之盛的结果是『哭的哽噎难言』，『皇家规矩，违错不得』，（很希望能违错，是么？），『好容易劝住』，『搀扶出园』。盛筵散后，只有萧索凄凉。萧索凄凉中，回忆起以前的盛筵，说不定又眉飞色舞起来。人啊，人！人生体验的实在性，丰富性与瞬时性是一个根本的悲哀。转瞬即逝才宝贵诱人。却又如梦如幻如泡如电……（佛家『六如』之说）元妃省亲，大场面写得富丽辉煌，丝丝入扣。高贵、隆重、忠顺、贤德、殊宠殊荣皇恩似海的气氛中一番难言的凄怆。欲言又止，多少泪水吞下肚。贾妃及其余人不可谓不忠，皇恩不可谓不重，礼仪不可谓不周，照顾——包括留下了说体己话的场合和时间——不可谓不周到，盛况不可谓不圆满，仍令人心潮难平。这不但是封建王朝的体制造成贾妃的不自由的悲哀，也是人生自身的悲哀：人有悲欢离合，月有阴晴圆缺，此事古难全！

省亲无限好，只是近黄昏。荣华无限好，只是不自由。贵妃无限好，只是忧郁结。红楼无限梦，尔后尽成灰。

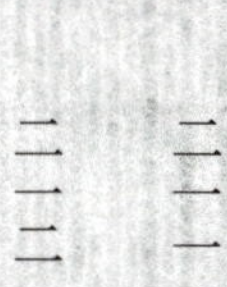

第十九回　情切切良宵花解语　意绵绵静日玉生香

话说贾妃回宫，次日见驾谢恩，并回奏归省之事，龙颜甚悦，又发内帑彩缎金银等物，以赐贾政及各椒房等员，不必细说。（用一点套话交代一下，对于喜欢读较完整的故事的读者来说，也好。）

且说荣宁二府中连日用尽心力，真是人人力倦，各各神疲，又将园中一应陈设动用之物收拾了两三天方完。（愈是大事、好事、盛事，愈是劳民伤财，令人疲惫不堪。）第一个凤姐事多任重，别人或可偷闲躲静，独他是不能脱得；二则本性要强，不肯落人褒贬，只扎挣着与无事的人一样。第一个宝玉是极无事最闲暇的。偏这一早，袭人的母亲又亲来回过贾母，接袭人家去吃年茶，晚间才得回来。因此，宝玉只和众丫头们掷骰子赶围棋作戏。正在房内玩得没兴头，（闲愁最苦，这显然也是（上帝）整人的一种办法，让他吃饱穿暖，养尊处优，却一生无一件正经事可做。）忽见丫头们来回说：『东府里珍大爷来请过去看戏，放花灯。』宝玉听了，便命换衣裳。才要去时，忽又有贾妃赐出糖蒸酥酪来；宝玉想上次袭人喜吃此物，便命留与袭人了，自己回过贾母，过去看戏。

谁想贾珍这边唱的是《丁郎认父》、《黄伯央大摆阴魂阵》，更有《孙行者大闹天宫》、《姜太公斩将封神》等类的戏文。倏尔神鬼乱出，忽又妖魔毕露。内中扬幡过会，号佛行香，锣鼓喊叫之声，远闻巷外。满街上个个都赞：『好热闹戏，别人家断不能有的。』宝玉见繁华热闹到如此不堪的田地，只略坐了一坐，便走往各处闲耍。（这似乎也反映了作者对这一类武打戏闹剧的不喜欢。为何不堪？如何不堪？如果放在今天，一个小说家就宝玉『逃戏』大概可以写几千字。与我国传统小说相比，『红』是很写了人物的心理活动内心世界的。『逃戏』与情节故事没什么关系，反映的只是宝玉的百无聊赖却又不堪热闹的精神世界。但这些心理活动，多是点到就止，令读者分析去。）先是进内去和尤氏并丫头姬妾说笑了一回，便出二门来。尤氏等仍料他出来看戏，遂也不曾照管。贾珍、贾琏、薛蟠等只顾猜谜行令，百般作乐，纵一时不见他在座，只道在里边去了，也不理论。至于跟宝玉的小厮们，那年纪大些的，知宝玉这一来了必是晚间才散，因此偷空也有会赌钱的，也有往亲友家去吃年茶的，或赌或饮，都私自散了，待晚间再来；那些小些的，都钻进戏房里瞧热闹去了。

（宝玉行事并非多么清高，他并无黛玉那种洁癖，这一点从他的上学、闹馒头庵及此后的与薛蟠等吃酒等情节可以看出来。偏偏听一出戏闹了个『与俗鲜谐』。或宝玉本来不怎么喜欢听戏，或这是反映了宝玉的世故，别的事牵扯到人际关系，他便随和，听戏，毕竟是个人口味问题，可以自由裁夺。

宝玉见一个人没有，因想：『素日这里有个小书房内曾挂着一轴美人，极画的得神。（一直体贴到画上去了。端的是情种。）今日这般热闹，想那里自然无人，那美人也自然是寂寞的，须得我去望慰他一回。』想着，便往那厢来。刚到窗前，闻得房内呻吟之声。宝玉倒唬了一跳：『敢是美人活了不成？』乃大着胆子，舔破窗纸，向内一看，那轴美人却不曾活，却是茗烟按着一个女孩子，也干那警幻所训之事。宝玉禁不住大叫：『了不得！』（宝玉自己早干过了，见别人干便不甚以为奇。不像有的人自己专干无耻之事，却又道貌岸然，专门整顿别人。）一脚踹进门去，将那两个唬开了，抖衣而颤。

茗烟见是宝玉，忙跪下哀求。宝玉道：『青天白日，这是怎么说！珍大爷知道，你是死是活？』一面看那丫头，虽不标致倒白净，些微亦有动人心处，羞的脸红耳赤，低首无言。宝玉跺脚道：『还不快跑？』（也算一种体贴。）一语提醒了那丫头，飞也似的去了。宝玉又赶出去叫道：『你别怕，我是不告诉人的。』（在奴

王蒙评点

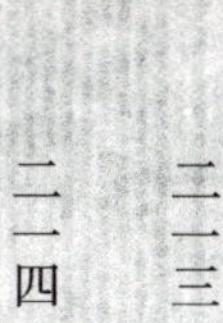

婢面前，宝玉确实算是个『自由派』。）急得茗烟在后叫：『祖宗，这是分明告诉人了！』宝玉因问：『那丫头十几岁了？』茗烟道：『不过十六七岁了。』宝玉道：『连他的岁数也不问问，别的自然越发不知了，可见他白认得你了。可怜，可怜！』又问：『名字叫什么？』茗烟笑道：『若说出名字来话长，真正新鲜奇文。他说他母亲养他的时节，做了一个梦，梦得了一匹锦，上面是五色富贵不断头的「卍」字花样，所以他的名字就叫作万儿。』宝玉听了笑道：『真也新奇，想必他将来有些造化。』说着，沉思一会。（于世事，常麻木不觉；听怪梦，便沉思一会。倒有几分艺术家气质。）

茗烟因问：『二爷为何不看这样的好戏？』宝玉道：『看了半日，怪烦的，出来逛逛，就遇见你们了。这会子作什么呢？』茗烟微微笑道：『这会子没人知道，我悄悄的引二爷往城外逛去，一会儿再往这里来，他们就不知道了。』宝玉道：『不好，仔细花子拐了去。且是他们知道了，又闹大了。不如往近些的地方去，还可就来。』（主仆互相行方便，虽是主仆关系形同哥儿们。）茗烟道：『就近地方谁家可去？这却难了。』宝玉笑道：『依我的主意，咱们竟找花大姐姐去，瞧他在家作什么呢。』茗烟笑道：『好，好！倒忘了他家。』又道：『他们知道了，说我引着二爷胡走，要打我呢？』宝玉道：『有我呢。』茗烟听说，拉了马，二人从后门就走了。（勿谓言之不预，先讨下『有我呢』的保证，讨下预应力。）幸而袭人家不远，不过一半里路程，转眼已到门前。

茗烟先进去叫袭人之兄花自芳。此时袭人之母接了袭人与几个外甥女儿几个侄女儿来家，正吃果茶，听见外面有人叫『花大哥』，花自芳忙出去看时，见是他主仆两个，唬的惊疑不定，连忙抱下宝玉来，至院内嚷道：『宝

二爷来了！』（虽然后文有探晴雯的情节，但先探的是袭人，排名次，袭人永远在前。可惜探晴雯是著名文艺段子，探袭人，则纯属嗜痂。）

别人听见还可，袭人听了，也不知为何，忙跑出来迎着宝玉，一把拉着问：『你怎么来了？』宝玉笑道：『我怪闷的，来瞧瞧你作什么呢。』袭人听了，才把心放下来，说道：『你也胡闹了，可作什么来呢？』一面又问茗烟：『还有谁跟来？』茗烟笑道：『别人都不知，就只我们两个。』袭人听了，复又惊慌说道：『这还了得！倘或撞见了人，或是遇见了老爷，街上人挤马碰，有个闪失，也是玩得的？你们的胆子比斗还大。都是茗烟调唆的，回去我定告诉嬷嬷们打你。』茗烟撅了嘴道：『二爷骂着打着叫我引了来的，这会子推到我身上。我说别要来罢！不然，我们还去罢。』花自芳忙劝道：『罢了，已是来了，也不用多说了。只是茅檐草舍，又窄又不干净，爷怎么坐呢？』

袭人之母也早迎了出来。袭人拉了宝玉进去。宝玉见房中三五个女孩儿，见他进来，都低了头，羞脸通红。花自芳母子两个恐怕宝玉冷，又让他上炕，又忙另摆果桌，又忙倒好茶。袭人笑道：『你们不用白忙，我自然知道，果子也不用摆了，不敢乱给东西吃。』（袭人在自己的家人面前乐于显派她最了解宝玉，最会侍候宝玉。别人张罗则是『白忙』。你张罗就不是『白忙』了吗？看他人之白忙清，看自己之白忙糊涂，人都是这么蠢！）一面说，一面将自己的坐褥拿了，铺在一个杌子上，宝玉坐了；用自己的脚炉垫了脚，向荷包内取出两个梅花香饼儿来，又将自己的手炉掀开焚上，仍盖好，放与宝玉怀内；然后将自己的茶杯斟了茶，送与宝玉。彼时他母兄已是忙着齐齐整整的摆上一桌子果品来，袭人见总无可吃之物，因笑道：『既来了，没有空去的理，好歹尝一点儿，也是来我家一趟。』说着，便拈了几个松子瓤，吹去细皮，用手帕托着送与宝玉。（看来花家生活过得去，几近小康。不知是否得益于袭人的为奴。）

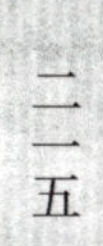

宝玉看见袭人两眼微红，粉光融滑，因悄问袭人道：『好好的哭什么？』（袭人哭，留下公案。）袭人笑道：『何尝哭！才迷了眼揉的。』因此便遮掩过了。因见宝玉穿着大红金蟒狐腋箭袖，外罩石青貂裘排穗褂，说道：『你特为往这里来，又换新衣服，（永远穿新衣好衣，永远令人羡慕，直至完蛋。）他们就不问你往那里去的？』宝玉笑道：『原是珍大爷请过去看戏换的。』袭人点头，又道：『坐一坐就回去罢，这个地方不是你来的。』宝玉笑道：『你就家去才好呢，我还替你留着好东西呢。』袭人笑道：『悄悄的，叫他们听着什么意思。』（亲昵逗弄，话语并不像她素日标榜的那样正经。）一面又伸手从宝玉项上将『通灵玉』摘下来，向他姊妹们笑道：『你们见识见识。时常说起来都当稀罕，恨不能一见，今儿可尽力瞧了。再瞧什么稀罕物儿，也不过是这么个东西。』说毕，递与他们传看了一遍，（传看此神玉宝玉？给人以展览宝玉的隐私的感觉。其意究竟何在？似乎有未明说的话。）仍与宝玉挂好，又命他哥哥去雇一乘小轿，或雇一辆小车，送宝玉回去。花自芳道：『有我送去，骑马也不妨了。』袭人道：『不为不妨，为的是碰见人。』

花自芳忙去雇了一顶小轿来，众人也不好相留，只得送宝玉出去。袭人又抓些果子与茗烟，又把些钱与他买花炮放，教他：『不可告诉人，连你也有不是。』一面说着，一直送宝玉至门前，看着上轿，放下轿帘。茗烟二人牵马跟随。来至宁府街，茗烟命住轿，向花自芳道：『须得我同二爷还到东府里混一混，才过去的，不然人家就疑惑了。』花自芳听说有理，忙将宝玉抱出轿来，送上马去。宝玉笑道：『倒难为你了。』于是仍进了后门来，俱不在话下。（这些细节增加了真实性。）

却说宝玉自出了门，他房中这些丫鬟们都越性恣意的玩笑，也有赶围棋的，也有掷骰抹牌的，磕了一地的瓜子皮。（一地瓜子皮！遥想一九五六年，拙作《组织部来了个年轻人》中有一地『荸荠皮』的描写，并被批评为『小资产阶级的疯狂性、散漫性』，往事何堪回首！）偏奶母李嬷嬷拄拐进来请安，瞧瞧宝玉，见宝玉不在家，丫鬟们只顾玩闹，十分看不过，因叹道：『只从我出去了不大进来，你们越发没了样儿了，别的嬷嬷越不敢说你们了。那宝玉是个「丈八的灯台——照见人家，照不见自己」的，只知嫌人家腌臜，这是他的屋子，由着你们遭塌，越不成体统了。』

这些丫头们明知宝玉不讲究这些，二则李嬷嬷已是告老解事出去的了，如今管不着他们。因此，只顾玩笑，并不理他。那李嬷嬷还只管问：『宝玉如今一顿吃多少饭？什么时候睡觉？』（两方面的思路不同，缺乏沟通。也有代沟。）丫头们总胡乱答应，有的说：『好个讨厌的老货！』李嬷嬷又问道：『这盖碗里是酥酪，怎不送与我吃？』（从李嬷嬷身上，已看到奴仆间的矛盾。有好吃的理应给我，修炼到了婴儿境界了。）说毕，拿起就吃。一个丫头道：『快别动！那是说了给袭人留着的，回来又惹气了。你老人家自己承认，别带累我们受气。』李嬷嬷听了，又气又愧，便说道：『我不信他这样坏了肠子！别说我吃了一碗牛奶，就是再比这个值钱的，也是应该的。难道待袭人比我还重？难道他不想想怎么长大了？我的血变的奶，吃的长这么大；如今我吃他一碗牛奶，他就生气了？（又气又愧，恼羞成怒，更加不服气。）我偏吃了，看他怎样！你们看袭人不知怎样，那是我手里调理出来的毛丫头，什么阿物儿！』（去与袭人争、比，失了体统，出了丑。这样提问题就丢了人，年高功大的李嬷嬷，去与袭人争一口吃的，您不想想这影响么。）一面说，一面赌气将酥酪吃尽。（赌气吃尽酥酪，更天真可爱。）又一个丫头笑道：『他们不会说话，怨不得你老人家生气。宝玉

还送东西孝敬你老人家去，岂有为这个不自在的？』李嬷嬷道：『你们也不必妆狐媚子哄我，打量上次为茶撵茜雪的事我不知道呢。明儿有了不是，我再来领。』（与众丫头为敌。好话不信，坏话发火。李嬷嬷的表现或可称之为『忘年妒』。）说着，赌气去了。

少时，宝玉回来，命人去接袭人，只见晴雯躺在床上不动，宝玉因问：『敢是病了？再不然输了？』秋纹道：『他倒是赢的。谁知李老太太来了混输了，他气的睡去了。』宝玉笑道：『你们别和他一般见识，由他去就是了。』说着，袭人已来，彼此相见。袭人又问宝玉何处吃饭，多早晚回来，又代母妹问诸同伴姊妹好。一时换衣卸妆。宝玉命取酥酪来，丫鬟们回说：『李奶奶吃了。』宝玉才要说话，袭人便忙笑说道：『原来是留的这个，多谢费心。前日我吃的时候好吃，吃过了，好肚子疼，闹的吐了才好了。他吃了倒好，搁在这里白遭塌了。我只想风干栗子吃，你替我剥栗子，我去铺床。』（息事宁人，克己复礼。既是为宝玉着想，也是为自己着想。像李嬷嬷这样的老小孩，还是不得罪为上。奴才比主人有城府，是生活的教训也是生活的需要，对于奴才，生活的教训更严厉也更复杂，生活的要求更高。主人可以卖弄自己的天真单纯善良被骗，奴才可没有这种机会，这种可能与这种雅兴。）

宝玉听了，信以为真，方把酥酪丢开，取栗子来，自向灯前检剥。一面见众人不在房中，乃笑问袭人道：『今儿那个穿红的是你什么人？』袭人道：『那是我两姨妹子。』宝玉听了，赞叹了两声。袭人道：『叹什么？我知道你心里的缘故，想是说，他那里配穿红的？』宝玉笑道：『不是，不是。那样的人不配穿红的，谁还敢穿？我因为见他实在好得很，怎么也得他在咱们家就好了。』袭人冷笑道：『我一个人是奴才命罢了，难道连我的亲戚

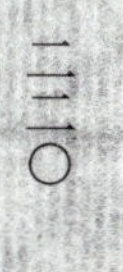

都是奴才命不成？定还要拣实在好的丫头才往你家来。』（袭人的反唇相讥既是确实意识到自己『奴才命』的可悲，更是讨厌宝玉的贪婪，『还要拣实在好的丫头……』也有自然而然的嫉妒心理。）宝玉听了，忙笑道：『你又多心了！我说往咱们家来，必定是奴才不成？说亲戚就使不得？』袭人道：『那也搬配不上。』宝玉便不肯再说，只是剥栗子。袭人笑道：『怎么不言语了？想是我才冒撞冲犯了你，明儿赌气花几两银子买他们进来就是了。』宝玉笑道：『你说的话怎么叫人答言呢？我不过是赞他好，正配生在这深堂大院里，没的我们这种浊物倒生在这里！』袭人道：『他虽没这造化，倒也是娇生惯养的，我姨父姨娘的宝贝，如今十七岁，各样的嫁妆都齐备了，明年就出嫁。』（在上之人讲平等是坐着说话不腰疼。在下之人要少幻想得多。阶级地位越低下，人们越易于面对现实。）

宝玉听了『出嫁』二字，不禁又『嗐』两声。正不自在，又听袭人叹道：『只从我来这几年，姊妹们都不得在一处，如今我要回去了，他们又都去了。』（干脆把针扎到穴位上。见袭人家的红衣少女而思之，袭人十分不悦，不能不规劝宝玉了，更不能不考验宝玉了。）宝玉听这话内有文章，不觉吃一惊，忙丢下栗子，问道：『怎么，你如今要回去了？』袭人道：『我今儿听见我妈和哥哥商议，教我再耐烦一年，明年他们上来就赎我出去呢。』宝玉听了这话，越发忙了，因问：『为什么要赎你？』袭人道：『这话奇了！我又比不得是你这里的家生子儿，我一家子都在别处，独我一个人在这里，怎么是个了局？』宝玉道：『我不叫你去也难。』袭人道：『从来没有这理。便是朝廷宫里，也有定例，或几年一选，几年一入，没有长远留下人的理，别说你家！』（宝玉对袭人的表妹感兴趣，引起袭人不满，袭人便有这么一大套话。仆对主也要进行有理有利有节的斗争的。）

宝玉想一想，果然有理，又道：『老太太不放你也难。』袭人道：『为什么不放？我果然是个最难得的，或者感动了老太太，太太必不放我出去的，设或多给我家几两银子留下，然或有之；其实我也不过是个最平常的人，比我强的多而且多。（『比我强的多……』不纯是自谦，袭人至少自知貌不惊人，她确有疑惑。她正处于选择的十字路口，她需要凿实宝二爷的心思，她方才在家已经掉了眼泪，她到了动真格的时候了。她并没有十成把握可以被宝玉永远『要』下去。）自我从小儿来跟着老太太，先伏侍了史大姑娘几年，如今又伏侍了你几年。如今我们家来赎，正是该叫去的，只怕连身价也不要，就开恩叫我去呢。若说为伏侍得你好，不叫我去，断然没有的事。那伏侍得好，分内应当的，不是什么奇功；我去了仍旧又有好的了，不是没了我就成不得的。』宝玉听了这些话，竟是有去的理，无留的理，心里越发急了，因又道：『虽然如此说，我的一心要留下你，不怕老太太不和你母亲说，多多给你母亲些银子，他也不好意思接你了。』（宝玉的天真的利己主义，天真的自我中心，他毫不鬼祟，便不显得有什么邪恶。）袭人道：『我妈自然不敢强。且慢说和他好说，又多给银子；就便不好和他说，一个钱也不给，安心要强留下我，他也不敢不依。但只是咱们家从没干过这倚势仗贵霸道的事。这比不得别的东西，因为喜欢，加十倍利弄了来给你，那卖的人不得吃亏，可以行得；如今无故平空留下我，于你又无益，反教我们骨肉分离，这件事，老太太、太太断不肯行的。』（关键的话在这里，袭人强调自己『最平常』，『于你无益』，是激将法，是呼唤宝玉的情意表示）宝玉听了，思忖半晌，乃说道：『依你说来说去，是去定了？』袭人道：『去定了。』宝玉听了自思道：『谁知这样一个人，这样薄情无义呢。』乃叹道：『早知道都是要去的，我就不该弄了来，临了剩我一个孤鬼儿。』说着便赌气上床睡了。

原来袭人在家，听见他母兄要赎他回去，他就说：『至死也不回去的。』又说：『当日原是你们没饭吃，就剩我还值几两银子，若不叫你们卖，没有个看着老子娘饿死的理；如今幸而卖到这个地方，吃穿和主子一样，又不朝打暮骂。况如今爹虽没了，你们却又整理的家成业就，复了元气。若果然还艰难，把我赎出来，再多掏摸几个钱，也还罢了，其实又不难了，这会子又赎我做什么？权当我死了，再不必起赎我的念头！』因此哭闹了一阵。（这也算两面三刀。）

他母兄见他这般坚执，自然必不出来的了。况且原是卖倒的死契，明仗着贾宅是慈善宽厚之家，不过求一求，只怕连身价银一并赏了还是有的事呢；二则贾府中从不曾作践下人，只有恩多威少的，且凡老少房中所有亲侍的女孩子们，更比待家下众人不同，平常寒薄人家的小姐也不能那样尊重的。因此他母子两个就死心不赎了。次后忽然宝玉去了，他二人又是那般景况，他母子二人心中更明白了，越发一块石头落了地，而且是意外之想，彼此放心，再无赎念了。（贾家是富贵而卑鄙，花家是贫穷而下贱。上层卑鄙，底层下贱，吾族甚忧矣！）

且说袭人自幼见宝玉性格异常，其淘气憨顽自是出于众小儿之外，更有几件千奇百怪口不能言的毛病儿。近来仗着祖母溺爱，父母亦不能十分严紧拘管，更觉放纵弛荡，任情恣性，最不喜务正。每欲劝时，谅不能听。今日可巧有赎身之论，故先用骗词以探其情，以压其气，然后好下箴规。今见宝玉默默睡去了，知其情有不忍，气已馁堕。自己原不想栗子吃，只因怕为酥酪生事，又像那茜雪之茶，是以假要栗子为由，混过宝玉不提就完了。于是命小丫头子们将栗子拿去吃了，自己来推宝玉。只见宝玉泪痕满面，袭人便笑道：『这有什么伤心的？你果然留我，我自然不出去了。』宝玉见这话有因，便说道：『你倒说说，我还要怎么留你？我自己也难说。』袭人笑道：『咱们素日好处，自不用说。但今日安心留我，不在这上头。我另说出三件事来，你果然依了我，就是你真心留我了，刀搁在脖子上，我也是不出去的了。』（袭人的这一套办法，至今被一些女性采用。）

宝玉忙笑道：『你说，那几件？我都依你。好姐姐，好亲姐姐！别说两三件，就是两三百件我也依的。只求你们同看着我，守着我，等我有一日化成了飞灰——飞灰还不好，灰还有形有迹，还有知识——等我化成一股轻烟，风一吹便散了的时候，你们也管不得我，我也顾不得你们了。那时凭我去，我也凭你们爱那里去就去了。』（天真的悲观主义。原发的——来自对于『化飞灰』的前景的深切而又超前的体认的颓废思想，也是来自人生的虚空、此生的无谓的体认。这也是一种『悟性』，可以通向宗教，可以通向艺术，也可以通向加倍的奋发有为，如『生命诚可贵，爱情价更高，若为自由故，二者皆可抛』。宝玉呢，他的高度优宠地位，注定了他哪里也通向不了，只略略重视一下讨好女孩子们。）急得袭人忙握他的嘴，说：『好，好！我正为劝你这些，更说的狠了。』宝玉忙说道：『再不说这话了。』袭人道：『这是头一件要改的。』宝玉道：『改了，再说你就拧嘴。还有什么？』

袭人道：『第二件，你真喜读书也罢，假喜也罢，只在老爷跟前，或在别人跟前，你别只管批驳诮谤，只作出个喜读书的样子来，也叫老爷少生些气，在人前也好说嘴。他心里想着，我家代代读书，只从有了你，不承望你不但不喜读书，已经他心里又气又恼了，而且背前面后乱说那些混话，凡读书上进的人，你就起个名字，叫做『禄蠹』；又说只除『明明德』外无书，都是前人自己不能解圣人之书，便另出己意，混编纂出来的。（反衬宝玉颇有见地，

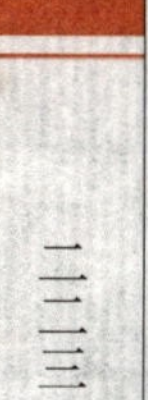

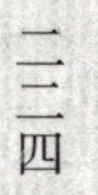

颇能一针见血。前人自己不能解圣人之书，便另出己意，混编纂出来，说得何等深刻透辟，恰中要害！此曹公之高见也。此见解有助于『国学』的进展。）这些话，怎怨得老爷不气，不时时打你？叫别人怎么想你？』

宝玉笑道：『再不说了。那是我小时不知天高地厚，信口胡说，如今再不敢说了。还有什么？』袭人道：『再不可谤僧毁道，调脂弄粉。（谤僧毁道与调脂弄粉列为一项，令人忍俊不禁。）还有更要紧的一件事，再不许吃人嘴上擦的胭脂了，与那爱红的毛病儿。』宝玉道：『都改，都改！再有什么？快说罢。』袭人道：『再也没有了，只是百事检点些，不任意任情的就是了。（又要读书上进，又要尊敬僧道，也是相反相成，相辅相成。任意任情，正是宝宝的特点，宝玉的可爱处。没有任意任情，也就没有贾宝玉了。）你若果然都依了，便拿八人轿也抬不出我去了。』宝玉笑道：『你这里长远了，不怕没八人轿你坐。』袭人冷笑道：『这我可不希罕的。有那个福气，没有那个道理，纵坐了也没甚趣。』（宝玉并非不懂现实利害，更知袭人希罕这种利，才说得如此低级。袭人冷笑，心里未必冷。）

通过袭人的规劝，展现宝玉的面貌。袭人以奴才的身份，这样忠于主子，这样忠于没有几个主子真正做得到的道德标准，忠于主子的长远利益，以当时的价值标准看，袭人的『觉悟』已臻于至善了。她为何这样至善？『红』没有回答，但至少说明封建道德自有它发生、存在的依据与适用的功能，又说明了封建道德的深入人心。简单一骂，一丑化袭人，是骂不倒的。袭人的规劝今天看来也并非全无道理。仅用『封建』两字并不能取消历史，取消生活，取消世世代代无数的活人的生活。我们今天的人是帮不上贾宝玉反封建的，他是否够算得上反封建，另当别论，也很难为袭人设计出更合理更有利的思路言路。生活在封建社会的人也得生存，正像生活在别的社会的人一样，不能只是消极颓废，骂倒一切，任意任性。何况当时并没有民主主义启蒙主义的气候。

二人正说着，只见秋纹走进来，说：『三更天了，该睡了。方才老太太打发嬷嬷来问，我答应睡了。』宝玉命取表来看时，果然针已指到亥正，方从新盥漱，宽衣安歇，不在话下。

至次日清晨，袭人起来，便觉身体发重，头疼目胀，四肢火热。先时还扎挣的住，次后捱不住，只要睡着，因而和衣躺在炕上。（大概与袭人为自己的命运也为规劝宝玉而动了真格的，伤心伤肝伤气伤人有关。谁不关心自己，袭人能含糊吗？）宝玉忙回了贾母，传医诊视，说道：『不过偶感风寒，吃一两剂药疏散疏散就好了。』开方去后，令人取药来煎好，刚服下去，命他盖上被窝渥汗，宝玉自去黛玉房中来看视。

彼时黛玉自在床上歇午，丫鬟们皆出去自便，满屋内静悄悄的。宝玉揭起绣线软帘，进入里间，只见黛玉睡在那里，忙走上来推他道：『好妹妹，才吃了饭，又睡觉。』（吃了饭即睡不好，不无科学道理。）将黛玉唤醒。黛玉见是宝玉，因说道：『你且出去逛逛，我前儿闹了一夜，今儿还没有歇过来，浑身酸疼。』宝玉道：『酸疼事小，睡出来的病大，我替你解闷儿，混过困去就好了。』黛玉只合着眼，说道：『我不困，只略歇歇儿，你且别处去闹会子再来。』宝玉推他道：『我往那里去呢，见了别人就怪腻的。』

黛玉听了，『嗤』的一笑道：『你既要在这里，那边去老老实实的坐着，咱们说话儿。』宝玉道：『我也歪着。』黛玉道：『你就歪着。』宝玉道：『没有枕头，咱们在一个枕头上。』黛玉道：『放屁！（黛玉很少说粗话，这次居然『放屁』，说明了他们的相处已日益放松，这次说笑更加放松。也说明『放屁』也属『国骂』，与『他妈的』媲美，再伟大再清高的绅士淑女，都离不开的。）外面不是枕头？拿一个来枕着。』宝玉出至外间，看了一看，回来笑道：『那个我不要，

也不知是那个腌臜老婆子的。』黛玉听了，睁开眼，起身笑道：『真真你就是我命中的「天魔星」，请枕这一个！』说着，将自己枕的推与宝玉，又起身将自己的再拿了一个来自己枕了，二人对面方倒下。

黛玉因看见宝玉左边腮上有钮扣大小的一块血渍，便欠身凑近前来，以手抚之细看道：『这又是谁的指甲刮破了？』宝玉倒身，一面躲，一面笑道：『不是刮的，只怕是才刚替他们淘澄胭脂膏子，溅上了一点儿。』说着，便找手帕子要揩拭。黛玉便用自己的帕子替他揩拭了，口内说道：『你又干这些事。干也罢了，必定还要带出幌子来。便是舅舅看不见，别人看见了，又当奇事新鲜话儿去学舌讨好，吹到舅舅耳朵里，又大家不干净惹气。』（这是一种实用主义的劝诫，有的是避免惹气，与事物本身的价值判断无干。）

宝玉总未听见这些话，只闻得一股幽香，却是从黛玉袖中发出，闻之令人醉魂酥骨。宝玉一把便将黛玉的衣袖拉住，要瞧笼着何物。黛玉笑道：『这等时候谁带什么香呢？』宝玉笑道：『既如此，这香是那里来的？』黛玉道：『连我也不知道，想必是柜子里头的香气衣服上熏染的，也未可知。』（宝钗的香味是人为的，巧配的。黛玉的香是天然的，原生的。谁能胜得过谁呢？）宝玉摇头道：『未必。这香的气味奇怪，不是那些香饼子、香球子、香袋子的香。』黛玉冷笑道：『难道我也有什么「罗汉」「真人」给我些奇香不成？便是得了奇香，也没有亲哥哥亲兄弟弄了花儿、朵儿、霜儿、雪儿替我炮制。我有的是那些俗香罢了。』（不忿之心，一直使黛玉不愉快。）

宝玉笑道：『凡我说一句，你就拉上这些。不给你个利害也不知道，从今儿可不饶你了！』说着翻身起来，将两只手呵了两口，便伸向黛玉膈肢窝内两胁下乱挠。黛玉素性触痒不禁，宝玉两手伸来乱挠，便笑的喘不过气来，

口里说：『宝玉！你再闹，我就恼了。』宝玉方住了手，笑问道：『你还说这些不说了？』黛玉笑道：『再不敢了。』一面理鬓笑道：『我有奇香，你有「暖香」没有？』

宝玉见问，一时解不来，因问：『什么「暖香」？』黛玉点头笑叹道：『蠢才，蠢才！你有玉，人家就有金来配你；人家有「冷香」，你就没有「暖香」去配？』宝玉方听出来，宝玉笑道：『方才求饶，如今更说狠了。』说着又去伸手。黛玉忙笑道：『好哥哥，我可不敢了。』宝玉笑道：『饶便饶你，只把袖子我闻一闻。』说着便拉了袖子笼在面上，闻个不住。黛玉夺了手道：『这可该去了。』宝玉笑道：『要去，不能。咱们斯斯文文的躺着说话儿。』说着复又倒下，黛玉也倒下，用手帕盖上脸。（天真可以谅解一切。如果不是俩孩子，这种举止，就涉嫌不堪了。这是何等天真烂漫的「床上镜头」！手帕盖脸，美哉！）

宝玉有一搭没一搭的说些鬼话，黛玉只不理。宝玉问他几岁上京，路上见何景致古迹，扬州有何遗迹故事，土俗民风，黛玉不答。宝玉只怕他睡出病来，便哄他道：『嗳哟！你们扬州衙门里有一件大故事，你可知道？』黛玉见他说的郑重，又且正言厉色，只当是真事，因问：『什么事？』宝玉见问，便忍着笑，顺口诌道：『扬州有一座黛山，山上有个林子洞，……』黛玉笑道：『这就扯谎，自来也没有听见这山。』宝玉道：『天下山水多着呢，你那里知道这些不成？等我说完了你再批评。』黛玉道：『你且说。』宝玉又诌道：『林子洞里原来有一群耗子精。那一年腊月初七日，老耗子升座议事，说：「明日乃是腊八日，世上人都熬腊八粥，（熬「腊八粥」的风俗由来已久。中华粥文化，源远流长。）如今我们洞中果品短少，须得趁此打劫些来方好。」乃拔令箭一枝，遣一能干

小耗前去打听。一时小耗回报：「各处察访打听已毕，惟有山下庙里果米最多。」老耗问：「米有几样？果有几品？」小耗道：「米豆成仓，不可胜记。果品有五种：一红枣，二栗子，三落花生，四菱角，五香芋。」老耗听了大喜。即时点耗前去，乃拔令箭，问：「谁去偷米？」一耗便接令去偷米。又拔令箭问：「谁去偷豆？」又一耗接令去偷豆。然后一一的都各领令去了。只剩下香芋一种，因又拔令箭问：「谁去偷香芋？」只见一个极小极弱的小耗应道：「我愿去偷香芋。」老耗并众耗见他这样，恐不谙练，又恐怯懦无力，都不准他去。小耗道：「我虽年小身弱，却是法术无边，口齿伶俐，机谋深远。此去管比他们偷得还巧呢！」众耗忙问：「如何得比他们巧呢？」小耗道：「我不学他们直偷，我只摇身一变，也变成个香芋，滚在香芋堆里，使人看不出，听不见，却暗暗的用分身法搬运，渐渐的就搬运尽了。岂不比直偷硬取的巧些？」众耗听了，都道：「妙却妙，只是不知怎么个变法？你去先变个我们瞧瞧。」小耗听了，笑道：「这个不难，等我变来。」说毕，摇身说：「变。」竟变了一个最标致美貌的一位小姐。众耗忙笑说：「变错了，变错了！原说变果子的，如何变出小姐来？」小耗现形笑道：「我说你们没见世面，只认得这果子是香芋，却不知盐课林老爷的小姐才是真正的『香玉』呢。」』（识文断字者的说笑，亦离不开字形字音字意，汉字万岁！信口一编，似有机智。）

黛玉听了，翻身爬起来，按着宝玉笑道：『我把你烂了嘴的！我就知道你是编我呢。』说着便拧。宝玉连连央告：『好妹妹，饶我罢，再不敢了！我因为闻见你的香气，忽然想起这个故典来。』黛玉笑道：『饶骂了人，还说是故典呢。』（二人说笑打闹，虽并无有分量的内涵，仍然充满生趣，叫做『生气贯注』。）

一语未了，只见宝钗走来，笑问：『谁说故典呢？我也听听。』黛玉忙让坐，笑道：『你瞧瞧，还有谁？他饶骂了，还说是故典。』宝钗笑道：『原来是宝兄弟！怪不得他。他肚子里的故典原多。只是可惜一件，凡该用故典之时他偏就忘了。有今日记得的，前儿夜里的芭蕉诗就该记得。眼面前的倒想不起来，别人冷的那样，他急的只出汗。这会子偏又有记性了。』（善于守拙的宝钗，这话却居功优越一番。仅仅是一笑吗？）黛玉听了笑道：『阿弥陀佛！到底是我的好姐姐，你一般也遇见对子了。可知一还一报，不爽不错的。』（压一压宝玉，这是女儿示好的一种表现。）刚说到这里，只听宝玉房中一片声吵嚷起来。未知何事，下回分解。

在宝黛的相爱相处中，静日玉生香一节十分愉快、放松，简直两个孩子进入了自由王国，无差别境界，获得的是天真烂漫而又相亲相爱的高峰体验。嗟乎，宝黛相处中，这种局面何其短暂，何其稀少！而猜疑、隔膜、嫉妒、阴影又何其多也。人生能有几许天真？人生能有几次笑？能有几次与异性伴侣的孩子式的混闹？也是一种『返璞归真』。

受尽欺凌压制，青春仍然无瑕，青春仍然美丽。

第二十回　王熙凤正言弹妒意　林黛玉俏语谑娇音

话说宝玉在黛玉房中说『耗子精』，宝钗撞来，讽刺宝玉元宵不知『绿蜡』之典，三人正在房中互相讽刺取笑。（即使是小心眼的黛玉以及有城府的宝钗，也知道讽刺、讥刺并非定是恶意，也有『互相讽刺取笑』的幽默感。如今的某些人，莫非狭于黛而幽于钗乎？）那宝玉正恐黛玉饭后贪眠，一时存了食，或夜间走了困，皆非保养身体之法。幸而宝钗走来，大家谈笑，那林黛玉方不欲睡，自己才放了心。忽听他房中嚷起来，大家侧耳听了一听，林黛玉先笑道：『这是你妈妈和袭人叫唤呢。那袭人待他也罢了，你妈妈再要认真排场他，可见老背晦了。』

宝玉忙欲赶过去，宝钗一把拉住道：『你别和你妈妈吵才是，他老糊涂了，倒要让他一步儿为是。』宝玉道：『我知道了。』说毕，走来，只见李嬷嬷拄着拐杖，在当地骂袭人：『忘了本的小娼妇！我抬举你起来，这会子我来了，你大模大样的躺在炕上，见我也不理一理。一心只想妆狐媚子哄宝玉，哄得宝玉不理我，只听你们的话。你不过是几两银子买来的毛丫头，这屋里你就作耗，如何使得！好不好，拉出去配一个小子，看你还妖精似的哄人不哄！』（报昨日吃酥酪面上无光之仇。袭人头一天正气凛然，头头是道地教育宝玉，委曲求全地维护大局，十分成功。越是成功越难逃一骂。李嬷嬷骂袭人是必然的——关键是袭人占据了李嬷嬷自认为自己这个功臣应该占据的位置。再说李是老经验，说不定掌握了她与宝玉初试云雨情的蛛丝马迹。）袭人先道李嬷嬷不过为他躺着生气，少不得分辩说：『病了，才出汗，蒙着头，原没看见你老人家。』后来听见他说『哄宝玉』，又说『配小子』，由不得又羞又委屈，禁不住哭起来了。

宝玉虽听了这些话，也不好怎样，少不得替他分辩病了吃药等话，又说：『你不信，只问别的丫头们。』李嬷嬷听了这话，越发气起来了，说道：『你只护着那起狐狸，那里还认得我了，叫我问谁去？谁不帮着你呢？谁不是袭人拿下马来的？我都知道那些事。我只和你在老太太、太太跟前去讲，把你奶了这么大，到如今吃不着奶了，把我丢在一旁，逞着丫头们要我的强！』（果然，抖露出了要害。拿下马与『那些事』，别以为『老背晦』是好惹的。没有这点老本，不会敢于责备宝玉的。）一面说，一面哭起来。彼时黛玉宝钗等也走过来劝道：『妈妈，你老人家担待他们些就完了。』李嬷嬷见他二人来了，便诉委曲，将当日吃茶，茜雪出去，与昨日酥酪等事，唠唠叨叨说个不了。（李嬷嬷是吃老本者的一面镜子。）

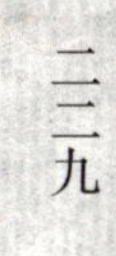

可巧凤姐正在上房算了输赢帐，听得后面一片声嚷动，便知是李嬷嬷老病发了，排揎宝玉的人，正值他今儿输了钱，迁怒于人，便连忙赶过来，拉了李嬷嬷，笑道：『妈妈别生气。大节下，老太太刚喜欢了一日，你是个老人家，别人吵嚷，还要你管他们才是；难道你反不知规矩，在这里嚷起来，叫老太太生气不成？你说谁不好，我替你打他。我家里烧的滚热的野鸡，快跟我来喝酒去。』一面说，一面拉着走，又叫：『丰儿，替你李奶奶拿着拐棍子，擦眼泪的手帕子。』（不同性质的矛盾，用不同的方法解决。）那李嬷嬷脚不沾地，跟了凤姐儿走了，一面还说：『我也不要这老命了，索性今儿没了规矩，闹一场子，讨个没脸，强似受那娼妇的气！』（李嬷嬷硬是不知己丑。）后面宝钗黛玉见凤姐儿这般，都拍手笑道：『亏他这一阵风来，把个老婆子撮了去。』

李嬷嬷如此可厌，居然畅通无阻。一、有老本可吃。主子吃过她的奶，她有半主的威风或功绩。二、她责难狐狸精，隐含着防淫防妖精的好意，不准宝玉吃酒，也有理。大方向还是对的，自以为是正确的。三、倚老卖老，人人让三分，这也是道德传统。

宝玉点头叹道：『这又不知是那里的帐，只拣软的欺负。又不知是那个姑娘得罪了，上在他帐上了……』一句未完，晴雯在旁说道：『谁又不疯了，得罪他做什么？既得罪了他，就有本事承任，不犯着带累别人！』（晴雯插话及时必要。李嬷嬷『谁不是袭人拿下马来的』的诘问，并非没有效果。勿以为话有大用，勿以为话无用，尤其是符合事实的话。）

袭人一面哭，一面拉着宝玉道：『为我得罪了一个老奶奶，你这会子又为我得罪这些人，这还不够我受的，还只是拉扯人。』（不把自己当外人，经过初试云雨，又经过良宵花解语，似已觉得宝玉属于自己了。）宝玉见他这般病势，又添了这些烦恼，连忙忍气吞声，安慰他仍旧睡下出汗。又见他汤烧火热，自己守着他，歪在旁边劝他：『只养着病，别想那些没要紧的事生气。』袭人冷笑道：『要为这些事生气，屋里一刻还留得了？但只是天长日久，尽着如此吵闹，可叫人怎么样过呢。你只顾一时为我们得罪了人，他们都记在心里，遇着坎儿，说得好说不好听，大家什么意思？』（『他们』云云，袭人很明白自己由于受到宝玉的殊宠而处于与众人对立的地位。她的成功就是她的孤立的根源。）一面说，一面禁不住流泪，又怕宝玉烦恼，只得又勉强忍着。

一时杂使的老婆子端了二和药来。宝玉见他才有汗意，不叫他起来，便自己端着与他就枕上吃了，即令小丫鬟们铺炕。袭人道：『你吃饭不吃饭，到底老太太、太太跟前坐一会子，和姑娘们玩一会子，再回来。我就静静的躺一躺也好。』（知止而后有定，并不没完没了地向宝玉索取关怀）宝玉听说，只得依他，去了簪环，看他躺下，自往上房来，同贾母吃饭。饭毕，贾母犹欲同那几个老管家的嬷嬷斗牌。宝玉记着袭人，便回至房中，见袭人朦朦睡去。自己要睡，天气尚早。彼时晴雯、绮霞、秋纹、碧痕都寻热闹找鸳鸯琥珀等耍戏去了。见麝月一人在外间房里灯下抹骨牌。宝玉笑道：『你怎么不同他们去？』麝月道：『没有钱。』宝玉道：『床底下堆着那些，还不够你输的？』麝月道：『都玩去了，这屋子交给谁呢？那一个又病了，满屋里上头是灯，下头是火。那些老婆子们都「老天拔地」，服侍了一天，也该叫他们歇歇；小丫头们也服侍了一天，这会子还不叫他们玩玩去？所以我在这里看着。』（揽事揽责之人亦多。）

宝玉听了这话，公然又是一个袭人。（你享得了双袭人之福吗？）因笑道：『我在这里坐着，你放心去罢。』麝月道：

『你既在这里，越发不用去了，咱们两个说话玩笑岂不好？』宝玉道：『咱们两个做什么呢？怪没意思的。也罢了，早上你说头痒，这会子没什么事，我替你篦头罢。』麝月听了便道：『就是这样。』说着，将文具镜匣搬将来，卸去钗钏，打开头发，宝玉拿了篦子替他一一梳篦。只篦了三五下，见晴雯忙忙走进来取钱，一见了他两个，便冷笑道：『哦！交杯盏还没吃，倒上了头了！』宝玉笑道：『你来，我也替你篦一篦。』（这话极幽默，令人哭笑不得。并非随机之回答。博爱多劳。）晴雯道：『我没这么样大福。』说着，拿了钱，便摔了帘子，出去了。

宝玉在麝月身后，麝月对镜，二人在镜内相视。宝玉便向镜内笑道：『满屋里就只是他磨牙。』麝月听说，忙向镜中摆手，宝玉会意。忽听『唿』一声帘子响，晴雯又跑进来问道：『我怎么磨牙了？咱们倒得说说。』麝月笑道：『你去你的罢，何苦来问人了。』晴雯笑道：『你又护着！你们那瞒神弄鬼的，我都知道。等我捞回本儿来再说话。』（虽是逗嘴，反映了众女争春争宠的大好——危险的局面。即使同为争宠而处于屈辱地位也罢，各人性格不同，路数不同，格调不同，未免难坏了令某些读者羡煞的宝玉。）说着，一径出去了。这里宝玉通了头，命麝月悄悄的伏侍他睡下，不肯惊动袭人。一宿无话。

次日清晨起来，袭人已是夜间发了汗，觉得轻省了些，只吃些米汤静养。宝玉放了心，因饭后走到薛姨妈这边来闲逛。

彼时正月内，学房中放年学，闺阁中忌针黹，都是闲时。因贾环也过来玩。正遇见宝钗、香菱、莺儿三个赶围棋作耍，贾环见了也要玩。宝钗素昔看他也如宝玉，并没他意；今儿听他要玩，让他上来坐了，一处玩。一磊十个钱，头一回，自己赢了，心中十分欢喜。谁知后来接连输了几盘，便有些着急。赶着这盘正该自己掷骰子，若掷个七点便赢，若掷个六点，下该莺儿，掷三点就输了。因拿起骰子来狠命一掷，一个坐定了二，那一个乱转。莺儿拍着手只叫『幺』，贾环便瞪着眼，『六』『七』『八』混叫。那骰子偏生转出幺来。贾环急了，伸手便抓起骰子，然后就拿钱，说是个六点。（赖皮性格者定不能公平游戏——『费厄泼赖』。）莺儿便说：『明明是个幺。』宝钗见贾环急了，便瞅莺儿，说道：『越大越没规矩！难道爷们还赖你？还不放下钱来呢。』（谁没规矩？没有规则怎么游戏？要面子还是要规则呢？）莺儿满心委屈，见宝钗说，不敢出声，只得放下钱来，口内嘟囔说：『一个做爷的，还赖我们这几个钱，连我也不放在眼里。前儿和宝二爷玩，他输了那些，也没着急，下剩的钱还是几个小丫头子们一抢，他一笑就罢了。』宝钗不等说完，连忙喝住了。贾环道：『我拿什么比宝玉？你们怕他，都和他好，都欺负我不是太太养的。』（贾环直奔主题，专提不开的壶，使别人原不这样想的也终于这样想起来。怎么可以蠢到这种匪夷所思的境地？替贾环着想，『谁养的』这个问题最好淡而化之，有贾政做老子，心虚什么？）说着便哭。宝钗忙劝他：『好兄弟，快别说这话，人家笑话你。』又骂莺儿。

正值宝玉走来，见了这般形况，问：『是怎么了？』贾环不敢则声。宝钗素知他家规矩：凡做兄弟的怕哥哥。却不知那宝玉是不要人怕他的。他想着：『兄弟们一并都有父母教训，何必我多事，反生疏了。况且我是正出，他是庶出，饶这样看待，还有人背后谈论，还禁得辖治了他？』更有个呆意思存在心里。你道是何呆意？因他自幼姐妹丛中长大，亲姊妹有元春探春，叔伯的有迎春惜春，亲戚中又有史湘云、林黛玉、薛宝钗等人，他便料定

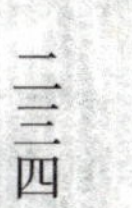

天地灵淑之气，只钟于女子，男儿们不过是些渣滓浊沫而已。因此把一切男子都看成浊物，可有可无。只是父亲、伯叔、兄弟之伦，因是圣人遗训，不敢违忤，只得听他几句。所以兄弟之间亦不过尽其大概的情理就罢了，并不想自己是男子，须要为子弟之表率。是以贾环等都不怕他，却怕贾母，才让他三分。

现今宝钗生怕宝玉教训他，倒没意思，便连忙替贾环掩饰。宝玉道：『大正月里，哭什么？这里不好，到别处玩去。（这也是一种因应变通之道，连宝玉都懂的。）你天天念书，倒念糊涂了。譬如这件东西不好，横竖那一件好，就舍了这件取那件。难道你守着这件东西哭会子就好了不成？你原来是取乐的，倒招的自己烦恼，不如快去呢。』（说了半天，虽不要人怕，他仍是有兄长之风；说到他自己，怕是没有这样潇洒。）贾环听了，只得回来。

赵姨娘见他这般，因问：『是那里垫了踹窝来了？』（赵姨娘一张口就出水平，出风格，出故事。）贾环便说：『同宝姐姐玩来着，莺儿欺负我，赖我的钱，宝玉哥哥撵我来了。』赵姨娘啐道：『谁叫你上高台盘了？下流没脸的东西！那里玩不得？谁叫你跑了去讨这没意思？』（一件小事，骂到了『纲』上了。小题大做，激化矛盾，固赵姨娘之特色也。）正说着，可巧凤姐在窗外过，都听在耳内，便隔窗说道：『大正月里，怎么了？兄弟们小孩子家，一半点儿错了，你只教导他，说这样话做什么？凭他怎么去，还有太太老爷管他呢，就大口家啐他？他现是主子，不好，横竖有教导他的人，与你什么相干？环兄弟，出来！跟我玩去。』（凤姐也是一句话捅到主奴身份有别的要害穴位上，也算是杀人不见血！话恁狠！）

贾环素日怕凤姐，比怕王夫人更甚，听见叫他，忙的出来。赵姨娘也不敢出声。（当然。）凤姐向贾环说道：『你也是个没性气的东西！时常说给你：要吃，要喝，要玩，要笑，你爱同那一个姐姐妹妹哥哥嫂子玩，就同那个玩。

你总不听我的话，反叫这些人教的歪心邪意，狐媚子霸道的。自己又不尊重，要往下流里走，安着坏心，还只怨人家偏心呢。输了几个钱，就这么样儿！』（凤姐是秩序的维护者，把李嬷嬷架走，训导贾环——镇压赵姨娘，她管训着一切。）因问贾环：『你输了多少钱？』贾环见问，只得诺诺的说道：『输了一二百钱。』凤姐道：『亏了你还是爷们，输了一二百钱就这样！』回头叫：『丰儿，去取一吊钱来，姑娘们都在后头玩呢，把他送了玩去。你明儿再这样下流狐媚子，我先打了你，再叫人告诉学里，皮不揭了你的！为你这不尊重，你哥哥恨得牙痒痒，不是我拦着，窝心脚把你的肠子窝出来呢！』喝令：『去罢！』（赵姨娘安得不将凤姐恨之入骨。凤姐对她是一味镇压，不留余地。）贾环诺诺的，跟了丰儿，得了钱，自去和迎春等玩去，不在话下。

且说宝玉正和宝钗玩笑，忽见人说：『史大姑娘来了。』宝玉听了，抬身就走，宝钗笑道：『等着，咱们两个一齐走，瞧瞧他去。』说着，下了炕，同宝玉来至贾母这边。只见史湘云大笑大说的，见了他两个，忙问好厮见。正值林黛玉在旁，因问宝玉：『在那里来？』宝玉便道：『在宝姐姐家来。』黛玉冷笑道：『我说呢，亏在那里绊住，不然早就飞了来了。』宝玉道：『只许同你玩，替你解闷儿，不过偶然去他那里一遭，就说这话。』黛玉道：『好没意思的话！去不去，管我什么事？又没叫你替我解闷儿，可许你从此不理我呢！』（这时的口角带孩子气。）说着，便赌气回房去了。

宝玉忙跟了来，问道：『好好的又生气了？就是我说错句话，你到底也还坐在那里，和别人说笑一会子，又自己来纳闷。』黛玉道：『你管我呢！』宝玉笑道：『我自然不敢管你，只是你自己遭塌坏了身子呢。』黛玉道：

『我作践了我的身子，我死我的，与你何干？』宝玉道：『何苦来，大正月里，「死」了「活」了的。』黛玉道：『偏说「死」！我这会子就死！你怕死，你长命百岁的如何？』宝玉笑道：『要像只管这样的闹，我还怕死呢？倒不如死了干净。』黛玉忙道：『正是了，要是这样闹，不如死了干净！』宝玉道：『我说自家死了干净，别要错听了赖人。』（一句话半句话引起口角，口角内容无谓，但一下子就「死了活了的」，如此严重，实际反映与宝玉的情感关系已带有生死攸关的性质了。）正说着，宝钗走来，说：『史大妹妹等你呢。』说着，便推宝玉走了。这里黛玉越发气闷，只向窗前流泪。（吵得可笑，可叹，可怜。宝钗素来是统筹兼顾方方面面的，如何能不管黛玉，推着宝玉便走了？或谓宝钗听见了二人正在吵，吵的高潮中拉走一方，脱离接触，是恢复冷静的唯一办法。或谓宝钗这样是「救」了宝玉，宝玉自会感激她的吧？推宝玉走前至少应礼貌性地向黛玉做一个交代或抚慰。）

没两盏茶时，宝玉仍来了。黛玉见了，越发抽抽噎噎的哭个不住。宝玉见了这样，知难挽回，打叠起千百样的款语温言来劝慰。不料自己未张口，只听黛玉先说道：『你又来作什么？死活凭我去罢了！横竖如今有人和你玩，要比我又会念，又会作，又会写，又会说会笑，又怕你生气，拉了你去，你又来作什么？』宝玉听了，忙上前悄悄的说道：『你这个明白人，难道连「亲不隔疏，后不僭先」也不知道？（只得这样言不及义地论述，令后人替他着急。）我虽糊涂，却明白这两句话。头一件，咱们是姑舅姊妹，宝姐姐是两姨姊妹，论亲戚也比你疏。第二件，你先来，咱们两个一桌吃，一床睡，自小儿一处长大的，他是才来的，岂有个为他疏你的？』黛玉啐道：『我难道叫你疏他？我成了什么人了呢？我为的是我的心！』（这个逻辑是讲不清楚的，因为这根本不是一个逻辑论证的问题。黛玉对宝钗有一种嫉妒，也有一种提防，每每向宝玉流露。至于说要「疏」谁，她确实未曾这样想过。那么她到底要什么呢？要宝玉的心。怎么个「心」法呢？这就更弄不清楚也无法面对的了。）宝玉道：『我也为的是我的心。难道你就知道你的心，不知道我的心不成？』黛玉听了，低头不语，半日说道：『你只怨人行动嗔怪你了，你再不知道你怄人难受。就拿今日天气比，分明今日冷些，怎么你倒脱了青肷披风呢？』（雨过天晴。）宝玉笑道：『何尝不穿着？见你一恼，我一暴燥，就脱了。』黛玉叹道：『回来伤了风，又该饿着吵吃的了。』（说笑，打趣，逗嘴，恼了，好了……本身没有多少意义也罢，却为青春的天真无邪、亲密无间的善意所照耀，变得生气灌注，活灵活现，无虑无忧。多么美好的青春年华！多么美好的青春友谊！多么难忘的毕竟是单纯透亮的岁月！当这些都一去不复返后，回溯写之，能不涕零于玩笑之中！）

二人正说着，只见湘云走来，笑道：『爱哥哥，林姐姐，你们天天一处玩，我好容易来了，也不理我一理儿。』黛玉笑道：『偏是咬舌子爱说话，连个「二」哥哥也叫不上来，只是「爱」哥哥「爱」哥哥的。回来赶围棋儿，又该你闹「幺爱三」了。』宝玉笑道：『你学惯了，明儿连你还咬起来呢。』湘云道：『他再不放人一点儿，专挑人的不是。你自己便比世人好，也不犯着见一个打趣一个。我指出一个人来，你敢挑他么，我就服你。』黛玉便问：『是谁？』湘云道：『你敢挑宝姐姐的短处，就算你是个好的。』黛玉听了冷笑道：『我当是谁，原来是他！我那里敢挑他呢？』宝玉不等说完，忙用话分开。湘云笑道：『这一辈子我自然比不上你。我只保佑着明儿得一个咬舌儿林姐夫，时时刻刻你可听「爱」呀「厄」的去，阿弥陀佛，那时才现在我眼里呢！』（这当然只是湘云的即兴发挥的玩笑，但仍然令读者笑不出来。是啊，她们谁知道谁的夫君将会是什么样子，说话咬不咬舌子呢？她们自己的命运，是自己做不了主的啊。焉知这玩笑没触及黛玉等的痛处？）说的众人一笑，湘云忙回身跑了。要知端详，且听下回分解。

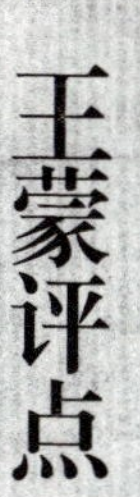

『妒意』云云，是『红』的人物行事的一个重要因素，是事件发展的一个重要动力能源。凤姐『妒』到了平儿为掩护她而造出来的香菱身上（见前）。李嬷嬷妒到袭人身上。晴雯妒到袭人、麝月身上。赵姨娘、贾环妒宝玉，又受到凤姐镇压，压的结果只能是越发妒。林黛玉妒宝钗。湘云的天真中似略有妒黛玉之意。贾宝玉越是博施所爱，四面打躬，委曲求全，就越是四面楚歌。谁让他成为众女性的目光的聚焦点呢？确实很难把爱与妒截然分开。也很难断然判定爱美妒丑。感情的辨析是困难的。『红』里的感情关系，真是『剪不断，理还乱』呀。

口角、口水战，来自实在的矛盾、利害冲突，也来自人自身的疑、妒、防、好胜心等。大观园的口水战，甚至令人想起国际关系上的口水战来，一笑。

第二十一回　贤袭人娇嗔箴宝玉　俏平儿软语救贾琏

话说史湘云跑了出来，怕林黛玉赶上，宝玉在后忙说：『绊倒了！那里就赶上了？』林黛玉赶到门前，被宝玉叉手在门框上拦住，笑道：『饶他这一遭儿罢。』林黛玉拉着手说道：『我要饶了云儿，再不活着！』湘云见宝玉拦着门，料黛玉不能出来，便立住脚，笑道：『好姐姐，饶我这遭儿罢。』却值宝钗来在湘云身背后，也笑道：『我劝你两个看宝兄弟面上，都撂开手罢。』黛玉道：『我不依。你们是一气的，都戏弄我不成！』（白纸黑字写下来，『你们是一气的』云云，够严重的了。小说之道，在于小中见大，无心中见有心，于青蘋之末见狂风暴雨。）宝玉劝道：『谁敢戏弄你，你不打趣他，他焉敢说你。』四人正难分解，有人来请吃饭，方往前边来。那天已掌灯时分，王夫人、李纨、凤姐、迎春、探春、惜春姊妹等，都往贾母这边来。大家闲话了一回，各自归寝。湘云仍往黛玉房中安歇。

宝玉送他二人到房，那天已二更多时，袭人来催了几次，方回自己房中来睡。（既然管理也是服务，那么，服务也是管理。在管理宝玉的起居方面，袭人这位大服务员领班，不是当仁不让、从严治玉的吗？）次早，天方明时，便披衣靸鞋往黛玉房中来，却不见紫鹃翠缕二人，只有他姊妹两个尚卧在衾内。那黛玉严严密密裹着一幅杏子红绫被，安稳合目而睡。那史湘云却一把青丝，拖于枕畔，被只齐胸，一弯雪白的膀子，撂于被外，又带着两个金镯子。宝玉见了叹道：『睡觉还是不老实！回来风吹了，又嚷肩窝疼了。』一面说，一面轻轻的替他盖上。（又体贴上。见一个体贴一个，倒也难得。大体贴了，似也有以歪就歪，越写越来劲的因素。）林黛玉早已醒了，觉得有人，就猜着定是宝玉，因翻身一看，果不出所料。因说道：『这早晚就跑过来作什么？』宝玉说：『这早晚还早呢！你起来瞧瞧。』（如果说宝玉有某些色情狂的表现，并不过分，也不是糟践了他。只是由于他天真，止于亲昵体贴，故亦引不起太大的反感。）黛玉道：『你先出去，让我们起来。』

宝玉出至外间。黛玉起来，叫醒湘云，二人都穿了衣裳。宝玉又复进来，坐在镜台旁边。只见紫鹃雪雁进来伏侍梳洗。湘云洗了脸，翠缕便拿残水要泼，宝玉道：『站着，我趁势洗了就完了，省得又过去费事。』说着，便走过来，弯腰洗了两把。紫鹃递过香皂去，（已有香皂，未有牙膏牙粉。）宝玉道：『这盆里就不少，不用搓了。』再洗了两把，便要手巾。翠缕道：『还是这个毛病儿，多早晚才改呢。』

宝玉也不理他，忙忙的要青盐擦了牙，漱了口，完毕，见湘云已梳完了头，便走过来笑道：『好妹妹，替我

梳上头。』湘云道：『这可不能了。』宝玉笑道：『好妹妹，你先时怎么替我梳了呢？』湘云道：『如今我忘了，不会梳呢。』宝玉道：『横竖我不出门，又不戴冠子、勒子，不过打几根辫子就完了。』说着，又千『妹妹』万『妹妹』的央告。（跟史湘云又纠缠上了。也确实可以说是不肖——没出息。）湘云只得扶过他的头来一一梳篦。在家不戴冠子，并不总角，只将四围短发编成小辫，往顶心发上归了总，编一根大辫，红绦结住。自发顶至辫梢，一路四颗珍珠，下面有金坠脚。（写宝玉的发式，以显示其地位、性格、家境……的与众不同。发型一写，灵气自见。）湘云一面编着，一面说道：『这珠子只三颗了，这一颗不是的。我记得是一样的，怎么少了一颗？』宝玉道：『丢了一颗。』湘云道：『必定是外头去，掉下来，不防被人拣了去，倒便宜他。』黛玉旁边冷笑道：『也不知是真丢，也不知是给了人镶什么戴去了。』宝玉不答。（宝玉不答，因黛玉说得正对。此公案存而不论。）因镜台两边都是妆奁等物，顺手拿起来赏玩，不觉顺手拈了胭脂，意欲往口边送，又怕湘云说，正犹豫间，湘云在身后伸过手来，『啪』的一下将胭脂从他手中打落，说道：『不长进的毛病儿，多早晚才改！』

（袭人处事，本来是够忍让的。对宝玉却是当仁不让。第一，宝玉是否接受她的垄断性服务，是头等大事，关系到她的命运，不能让。第二，她自信宝玉离不开她，这是既成事实，既定态势，既有格局。第三，她认为自己是代表正确的方面、道德的方面，她的告诫符合正统，符合贾政、王夫人的意图。她决不能对宝玉与众姐妹的混闹置之不理。第四，她确实也『爱』宝玉。爱不但可以生发出妒，也生发出干预的趋向，生发出『管』的权力。爱也可以有二重性，故评点者提出『理解比爱更高』的命题。

一语未了，只见袭人进来，见这光景，知是梳洗过了，只得回来自己梳洗。忽见宝钗走来，因问：『宝

兄弟那里去了？』袭人冷笑道：『「宝兄弟」那里还有在家的工夫！』宝钗听说，心中明白。又听袭人叹道：『姊妹们和气，也有个分寸礼节，也没个黑家白日闹的！凭人怎么劝，都是耳旁风。』（主子之间互妒，奴婢之间也互妒。袭人更妒到了湘云身上，并讲出了一番大道理，道理不讲给别人而讲给宝钗，自非偶然。）宝钗听了，心中暗忖道：『倒别看错了这个丫头，听他说话，倒有些识见。』宝钗便在炕上坐了，慢慢的闲言中，套问他年纪家乡等语，留神窥察其言语志量，深可敬爱。（此是袭投靠钗，钗器重袭，钗袭结盟的开端。一个丫头，能使城府如宝钗者感到『深可敬爱』，容易吗？）

一时宝玉来了，宝钗方出去。宝玉便问袭人道：『怎么宝姐姐和你说的这么热闹，见我进来就跑了？』问一声不答，再问时，袭人方道：『你问我么？我那里知道你们的原故。』宝玉听了这话，见他脸上气色非往日可比，便笑道：『怎么又动了真气了？』袭人冷笑道：『我那里敢动气？只是你从今别进这屋子了，横竖有人伏侍你，再不必来支使我。我仍旧还伏侍老太太去。』（一次又一次地主动降服宝玉。这确是女性的本事。）一面说，一面便在炕上合眼倒下。宝玉见了这般景况，深为骇异，（读者初也骇异，继而明白，此势已成，宝玉离不开袭人，已是定势。不知与前述袭人投靠宝钗成功有无关系。有了宝钗的理解与含蓄的支持——钗深深敬爱，袭能不知么？，袭的自我感觉自然不同。）禁不住赶来劝慰，那袭人只管合着眼不理。宝玉无了主意，因见麝月进来，便问道：『你姐姐怎么了？』麝月道：『我知道么？问你自己便明白了。』宝玉听说，呆了一回，自觉无趣，便起身嗳道：『不理我罢，我也睡去。』说着，便起身下炕，到自己床上睡下。

袭人听他半日无动静，微微的打鼾，料他睡着，便起来拿一领斗篷来替他盖上，只听『嗯』的一声，宝玉便掀过去，仍合目装睡。袭人明知其意，便点头冷笑道：『你也不用生气，从此后，我也只当哑了，再不说你一声如何？』宝玉禁不住起身问道：『我又怎么了？你又劝我？你劝也罢了，刚才又没劝，我一进来，你就不理我，赌气睡了。我还摸不着是为什么，这会子你又说我恼了。我何尝听见你劝我的是什么话儿？』袭人道：『你心里还不明白？还等我说呢！』（性格、地位、思路迥然不同，但袭人挤兑宝玉方法与黛玉略同。）

正闹着，贾母遣人来叫他吃饭，方往前边来，胡乱吃了几碗饭，仍回至自己房中。只见袭人睡在外头炕上，麝月在旁抹骨牌。宝玉素知麝月与袭人亲厚，一并连麝月也不理，揭起软帘，自往里间来。（既是主仆关系，又是少男少女的友谊关系，才出现这种微妙情事。）麝月只得跟进来。宝玉便推他出去，说：『不敢惊动你们。』（主可以占有仆的劳动直至其他，却赢得不了仆的爱心。只有以友待之才行。）麝月只得笑着出来，唤两个小丫头进来。

宝玉拿一本书，歪着看了半天，因要茶，抬头只见两个小丫头在地下站着，一个大些的，生得十分清秀，宝玉便问：『你叫什么名字？』那丫头答道：『叫蕙香。』宝玉又问：『是谁起的这个名字？』蕙香道：『我原叫「芸香」，是花大姐姐改的。』宝玉道：『正经该叫「晦气」罢咧，什么「蕙香」呢！』又问：『你姊妹几个？』蕙香道：『四个。』宝玉道：『你第几个？』蕙香道：『第四。』宝玉道：『明日就叫「四儿」，不必什么「蕙」香「兰」气的，那一个配比这些花，没的玷辱了好名好姓的。』（宝玉的思路与众不同。一直体贴到花上去，也是仁之心。「四儿」的名字起得好。）一面说，一面命他倒了茶来吃。袭人和麝月在外间听了半日，抿嘴儿笑。

这一日，宝玉也不出房门，自己闷闷的，只不过拿书解闷，或弄笔墨，也不使唤众人，只叫四儿答应。谁知这四儿是个乖巧不过的丫头，见宝玉用他，他便变尽方法笼络宝玉。（谁得势谁占着顶尖，谁就能不费力地得到一大批乖巧之徒。）至晚饭后，宝玉因吃了两杯酒，眼饧耳热之余，若往日则有袭人等大家嘻笑有兴，今日却冷清清的，一人对灯，好没兴趣。待要赶了他们去，又怕他们得了意，以后越来劝了；若拿出作上人的模样镇唬他们，似乎无情太甚。（两难。两难是人生的基本处境之一。哈姆雷特的永恒问题：活着，还是死亡？存在，还是虚无？就是两难的根本。）说不得横了心只当他们死了，横竖自家也要过的。便权当他们死了，毫无牵挂，反能怡然自悦。因命四儿剪烛烹茶，自己看了一回《南华经》，至外篇《胠箧》一则，其文曰：

故绝圣弃智，大盗乃止；擿玉毁珠，小盗不起。焚符破玺，而民朴鄙；掊斗折衡，而民不争；殚残天下之圣法，而民始可与论议。擢乱六律，铄绝竽瑟，塞瞽旷之耳，而天下始人含其聪矣；灭文章，散五彩，胶离朱之目，而天下始人含其明矣；毁绝钩绳，而弃规矩，攦工垂之指，而天下始人含其巧矣。

看至此，意趣洋洋，趁着酒兴，不禁提笔续曰：

焚花散麝，而闺阁始人含其劝矣；戕宝钗之仙姿，灰黛玉之灵窍，丧灭情意，而闺阁之美恶始相类矣。彼含其劝，则无参商之虞矣；戕其仙姿，无恋爱之心矣；灰其灵窍，无才思之情矣。彼钗、玉、花、麝者，皆张其罗而穴其隧，所以迷眩缠陷天下者也。（很难说宝玉接受了《南华经》的什么老庄思想。他只是体会到这种烦恼，需要老庄的逻辑来调剂自己的心灵，减轻自己的苦闷。对于宝玉，老庄与其说是一种指导性的哲学、一种我们视为重要的君临思想感情的『世界观』，不如说是一种心灵的游戏，概念与语言的游戏。对于他来说，很难说某种哲学比可吃的胭脂或女孩子洗剩下的洗脸水更重要。）

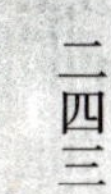

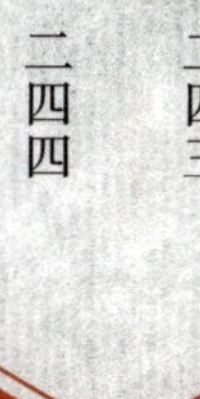

续毕，掷笔就寝。头刚着枕，便忽然睡去，一夜竟不知所之，直至天明方醒。翻身看时，只见袭人和衣睡在衾上。宝玉将昨日的事，已付之度外，便推他说道：『起来好生睡，看冻着了。』（袭人对宝玉的教育比贾政的训诫更经常也更细致，更春风化雨也更花样翻新，可惜的是并无效果。）

原来袭人见他无晓夜和姊妹厮闹，若真劝他，料不能改，故用柔情以警之，料他不过半日片刻，仍复好了。不想宝玉日夜竟不回转，自己反不得主意，直一夜没好生睡。今忽见宝玉如此，料是他心意回转，便索性不采他。宝玉见他不应，便伸手替他解衣，刚解开了钮子，被袭人将手推开，又自扣了。（异性之间的情感关系，也常常是你消我长，你生我灭，相反相成，相生相克，相依相悖。一味迁就或一味逞强都是不行的。个中道理，亦颇可咀嚼。）宝玉无法，只得拉他的手笑道：『你到底怎么了？』连问几声，袭人睁眼说道：『我也不怎么。你睡醒了，你自过那边房里去梳洗，再迟了，就赶不上了。』（袭人竟可大胆地将矛头直指湘云为宝玉梳头事。服务专利是绝对不能让的，代为伺候必遭嫉——喜献殷勤者不可不察。）宝玉道：『我过那里去？』袭人冷笑道：『你问我，我知道吗？你爱过那里去就过那里去。从今咱们两个丢开手，省得鸡生鹅斗，叫别人笑。横竖那边腻了过来，这边又有个什么「四儿」「五儿」伏侍。（立即捎带上了「四儿」。）我们这起东西，可是「白玷辱了好名好姓」的。』宝玉笑道：『你今儿还记着呢？』袭人道：『一百年还记着呢！（以百年言其长，「红」已有之。）比不得你，拿着我的话当耳旁风，夜里说了，早起就忘了。』宝玉见他娇嗔满面，情不可禁，便向枕边拿起一根玉簪来，一跌两段，说道：『我再不听你说，就同这簪一样。』（并非接受了袭人的批评，而是对袭人动了情，求其情。）袭人忙的拾了簪子，说道：『大早起，这是何苦来？听不听什么要紧，也值得这个样子。』（为什么女性总希望自己喜欢的男性『听说』？）宝玉道：『你那里知道我心里急！』袭人笑道：『你也知道着急么！可知我心里怎么样？快起来洗脸去罢。』（物极必反，闹气亦如此。真急完了，开始转化。）说着，二人方起来梳洗。

宝玉往上房去后，谁知黛玉走来，见宝玉不在房中，因翻弄案上书看。可巧便翻出昨儿的《庄子》来，看见宝玉所续之处，不觉又气又笑，（又气又笑，并未认真。）不禁也提笔续一绝云：

无端弄笔是何人？剿袭《南华》庄子文。
不悔自家无见识，却将丑语诋他人！（看来『红』人不重视哲学，不重视世界观问题。把哲学——世界观问题看得那么重，是新中国建国以后的事情。）

题毕，也往上房来见贾母，后往王夫人处来。

谁知凤姐之女大姐儿病了，正乱着请大夫诊脉。大夫说：『替夫人奶奶们道喜：姐儿发热是见喜了，并非别症。』王夫人凤姐听了，忙遣人问：『可好不好？』大夫回道：『症虽险，却顺，倒还不妨。预备桑虫、猪尾要紧。』凤姐听了，登时忙将起来：一面打扫房屋，供奉『痘疹娘娘』，一面传与家人忌煎炒等物，一面命平儿打点铺盖衣服与贾琏隔房，一面又拿大红尺头与奶子丫头亲近人等裁衣。（孩子出天花时的风习殊有趣。『隔房』云云离不开视性为肮脏的基本观念。）外面又打扫净室，款留两位医生，轮流斟酌诊脉下药，十二日不放家去。贾琏只得搬出外书房来

安歇。凤姐与平儿都随王夫人日日供奉『娘娘』。

那贾琏只离了凤姐，便要寻事，独寝了两夜，十分难熬，只得暂将小厮内清俊的选来出火。不想荣国府内有一个极不成材破烂酒头厨子，名叫多官，人见他懦弱无能，都唤他作『多浑虫』。因他父母给他娶了一个媳妇，今年方二十岁，也有几分人材，又兼生性轻薄，最喜拈花惹草。多浑虫又不理论，只是有酒有肉有钱，便诸事不管了。（这世界上并非都如贾府那般神气，还有完全另类的多浑虫之类。）所以宁荣二府之人，都得入手。因这媳妇妖调异常，轻浮无比，众人都呼他作『多姑娘儿』。（『多浑虫』『多姑娘』，这些称谓品之有趣。）如今贾琏在外熬煎，往日也见过这媳妇，垂涎久了，只是内惧娇妻，外惧娈童，不曾下得手。那多姑娘儿也有意于贾琏，只恨没空；今闻贾琏挪在外书房来，他便没事也要走三四趟去招惹。贾琏似饥鼠一般，少不得和心腹的小厮们计议，多以金帛相许，焉有不允之理，况都和这媳妇是旧友，一说便成。

是夜，多浑虫醉倒在炕，二鼓人定，贾琏便溜进来相会。一见面，早已神魂失据，也不及情谈款叙，便宽衣动作起来。谁知这媳妇有天生的奇趣，一经男子挨身，便觉遍体筋骨瘫软，使男子如卧绵上；更兼淫态浪言，压倒娼妓。（怎知压倒娼妓，作者亦不无嫖妓经验乎？）贾琏此时恨不得化在他身上。那媳妇故作浪语，在下说道：『你们女儿出花儿，供着娘娘，你也该忌两日，倒为我腌臜了身子，快离了我这里罢。』贾琏一面大动，一面喘吁吁答道：『你就是「娘娘」！那里还管什么「娘娘」！』那媳妇越浪起来，贾琏不禁丑态毕露。一时事毕，两个又盟山誓海，难舍难分。自此后，遂成相契。

一日，大姐毒尽瘢回，十二日后送了『娘娘』，合家祭天祀祖宗，还愿焚香，庆贺放赏已毕，贾琏仍复搬进卧室。见了凤姐，正是俗语云『新婚不如远别』，更有无限恩爱，自不必细说。

次日早起，凤姐往上房里去后，平儿收拾外边拿进来的衣服铺盖，不承望枕套中抖出一绺青丝来，平儿会意，忙藏在袖内，便走至这边房内，拿出头发来，向贾琏笑道：『这是什么？』贾琏一见，连忙抢上来要夺，平儿便跑，被贾琏一把揪住，按在炕上，从手中来夺。平儿笑道：『你是没良心的，我好意瞒着他来问你，你倒赌狠！等他回来我告诉了，看你怎么样。』贾琏听说，忙陪笑央求道：『好人，你赏我罢，我再不敢赌狠了。』

一语未了，只听凤姐声音进来，贾琏听见松了不是，抢又不是，只叫：『好人，别叫他知道！』平儿才起身，凤姐已走进来，命平儿：『快开匣子，替太太找样子。』平儿忙答应了，找时，凤姐见了贾琏，忽然想起来，便问平儿：『前日拿出去的东西都收进来没有？』平儿道：『收进来了。』凤姐道：『可少什么不少？』平儿道：『细细查了，并没少一件儿。』凤姐又道：『可多什么没有？』平儿笑道：『不少就罢了，怎么还有得多出来？』凤姐又笑道：『这半个月，难保干净，或者有相厚的丢下的东西戒指、汗巾等物，亦未可定。』（知夫莫若妻。料事如神。）一席话，说的贾琏脸都黄了，在凤姐身背后，只望着平儿杀鸡抹脖使眼色，求他遮盖。平儿只作看不见，因笑道：『怎么我的心就和奶奶一样！我就怕有这样的，留神搜了一搜，竟一点破绽也没有。奶奶不信，亲自搜一搜。』（平儿既要买贾琏的好，又要留下琏的把柄。）凤姐笑道：『傻丫头，他便有这些东西，那里就叫咱们搜着。』说着，拿了样子出去了。

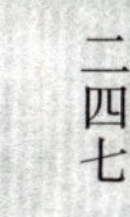
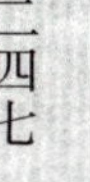

平儿指着鼻子，摇着头儿，笑道：『这件事你该怎么谢我呢？』喜的贾琏眉开眼笑，跑过来搂着，『心肝肠儿肉儿』乱叫。平儿手里拿着头发，笑道：『这是一辈子的把柄儿。好就好，不好咱们就抖出这个来。』贾琏笑着央告道：『你好生收着罢，千万可别叫他知道。』口里说着，瞅他不堤防，一把便抢过来，笑道：『你拿着终是祸胎，不如我烧了，就完了事了。』一面说，一面掖在靴掖子内。平儿咬牙道：『没良心的，「过了河儿就拆桥」，明儿还想我替你撒谎呢！』

贾琏见他娇俏动情，便搂着求欢，平儿夺手跑了出来，急的贾琏弯着腰恨道：『死促狭小娼妇儿！一定浪上人的火来，他又跑了。』（连挑动性欲与调控性欲也变成了斗争手段。）平儿在窗外笑道：『我浪我的，谁叫你动火？难道图你受用，叫他知道了，又不代见我呀！』（能这样说话，平儿也够老辣的了。）贾琏道：『你不用怕他，等我性子上来，把这「醋罐子」打个稀烂，他才认得我呢！他防我像防贼似的，只许他同男人说话，不许我和女人说话。（『只许他同男人说话』云云似有隐情。男女权利义务不同，本不可以相比的。如今竟比了，而且贾琏忿忿然，怎么回事？）我和女人说话，略近些，他就疑惑，他不论小叔子、侄儿、大的、小的，说说笑笑，就不怕我吃醋了。以后我也不许他见人！』平儿道：『他醋你使得，你醋他使不得，他原行的正，走的正，你行动便有坏心，连我也不放心，别说他呀。』贾琏道：『你两个一口贼气！都是你们行得是，我凡行动都存坏心。多早晚才叫你们都死在我手里呢！』（一句话好生突兀。伏笔乎？『求欢』不得发狠乎？）

一句未了，凤姐走进院来，因见平儿在窗外，就问道：『要说话，怎么不在屋里，跑出来隔着窗子，是什么意思？』贾琏在内接嘴道：『你可问他，倒像屋里有老虎吃他呢！』平儿道：『屋里一个人没有，我在他跟前作什么？』凤姐笑道：『正是没人才好呢。』平儿听说，便道：『这话是说我么？』凤姐便笑道：『不说你说谁？』平儿道：『别叫我说出好话来了。』说着，也不打帘子，一径往那边去了。

凤姐自掀帘子进来，说道：『平儿丫头疯魔了，这蹄子认真要降伏起我来了，仔细你的皮要紧！』贾琏听了，倒在炕上，拍手笑道：『我竟不知平儿这么利害，从此倒服了他了。』凤姐道：『都是你兴的他，我只和你算帐就完了。』贾琏听了啐道：『你两个不睦，又拿我来垫喘儿，我躲开你们。』凤姐道：『我看你躲到那里去。』贾琏道：『我有处去。』说着就走，（任何关系都不可能是绝对单向的。凤姐甚威，平儿甚忠，忠极则可反方向起作用。威极则随处都是挑战与反弹。）凤姐道：『你别走，我有话和你说呢。』不知何事，且听下回分解。

这一段是以平儿为中心写琏、凤、平三者的关系的。三者有打有拉，有攻有防，有求有应，有信任更有不信任，有帮忙更有背叛，有爱有欲有妒有恨，这也是『三国演义』。机变、手腕、阴谋、虚实，三十六计，竟用到了夫、妻、妾之间，真是奇观，真是有过辉煌的春秋战国历史经验的民族。平儿完全了解琏、凤之恶，整个贾府人际关系之恶，但她大体上以善制恶，难得，可叹。大体上平儿与凤姐结盟而不是与贾琏结盟，这不符合姨娘文化的一般原则，姨娘，岂有不把争宠放在第一位的。说明了凤姐的实力实在不寻常，也说明了平儿的清醒理智。

袭人、平儿，都有政治天分，如果生在别时别地，未可限量。

王蒙评点

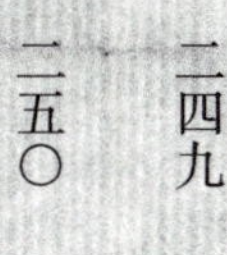

第二十二回　听曲文宝玉悟禅机　制灯谜贾政悲谶语

话说贾琏听凤姐儿说有话商量，因止步问：『是何话？』凤姐道：『二十一是薛妹妹的生日，你到底怎么样？』贾琏道：『我知道怎么样？你连多少大生日都料理过了，这会子倒没有主意了？』凤姐道：『大生日是有一定的则例。如今他这生日，大又不是，小又不是，所以和你商量。』贾琏听了，低头想了半日，道：『你竟糊涂了！现有比例，那林妹妹就是例。往年怎么给林妹妹做的，如今也照样给薛妹妹做就是了。』凤姐听了冷笑道：『我难道这个也不知道？我原也这么想定了。但昨日听见老太太说，问起大家的年纪生日来，听见薛大妹妹今年十五岁，虽不是整生日，也算得将笄之年。老太太说要替他做生日，自然与往年给林妹妹的不同了。』（起于青萍之末。一个小事，反映了钗地位的上升，而且扯到了老太太身上，就不仅是十五不十五的问题了。道理都是人说的，区别对待总会有区别对待的道理。问题是表面的道理下面，还兴许有更深的潜道理。）贾琏道：『既如此，就比林妹妹的多增些。』凤姐道：『我也这么想着，所以讨你的口气。我若私自添了东西，你又怪我不告诉明白你了。』（与其说是凤姐搞空头情，做尊重贾琏状，不如说是凤姐向贾琏通报风向。）贾琏笑道：『罢，罢！这空头情我不领；你不盘察我，就够了，我还怪你？』说着，一径去了，不在话下。

且说史湘云住了两日，因要回去，贾母因说：『等过了你宝姐姐的生日，看了戏，再回去。』（果然，贾母亲自讲起宝姐姐的生日来。）史湘云听了，只得住下，又一面遣人回去，将自己旧日作的两件针线活计取来，为宝钗生辰之仪。

谁想贾母自见宝钗来了，喜他稳重和平，（进一步挑明。）正值他才过第一个生辰，便自己捐资二十两，唤了凤姐来，交与他备酒戏。（非同一般。）凤姐凑趣，笑道：『一个老祖宗，给孩子们作生日，不拘怎样，谁还敢争？又办什么酒席。既高兴，要热闹，就说不得自己花费几两老库里的体己。这早晚找出这霉烂的二十两银子来做东，意思还叫我们赔上。果然拿不出来，也罢了；金的、银的、圆的、扁的，压塌了箱子底，只是累掯我们。举眼看看，谁不是你老人家的儿女？难道将来只有宝兄弟顶你老人家上五台山不成？那些东西只留与他，我们如今虽不配使，也别苦了我们。这个够酒的？够戏的？』（凤姐一是撒娇，二是奉承老太太之富，嘴臭心甜，还是招人疼。凤姐口才之好，是她得宠的一个原因。人生在世，能不重视牙口乎？）说的满屋里都笑起来。贾母亦笑道：『你们听听这嘴！我也算会说的了，怎么说不过这猴儿？（猴儿也者，说明了凤姐的一个重要职能，弄臣兼宠物的职能，解闷的职能。）你婆婆也不敢强嘴，你就和我『唧』啊『唧』的。』凤姐笑道：『我婆婆也是一样的疼宝玉，我也没处去诉冤，倒说我强嘴！』说着，又引贾母笑了一会，贾母十分喜悦。

到晚上，众人都在贾母前，定省之余，大家娘儿姊妹等说笑时，贾母因问宝钗爱听何戏，爱吃何物。（亲自落实亲自抓。宝钗果然有戏。宝钗还报，亦在理中，不必深责。）宝钗深知贾母年老人，喜热闹戏文，爱吃甜烂之物，便总依贾母素喜者说了一遍，贾母更加喜欢。（绝对的一己率真，会有伤于礼貌。礼貌本身包含着某种虚伪——如宝钗点食点戏——这也是文化的尴尬之处。）次日，先送过衣服玩物去，王夫人、凤姐、黛玉等诸人皆有随分的，不须细说。

至二十一日，就贾母内院搭了家常小巧戏台，定了一班新出小戏，昆弋两腔俱有。就在贾母上房摆了几席家

宴酒席，并无一个外客，只有薛姨妈、史湘云、宝钗是客，余者皆是自己人。这日早起，宝玉因不见黛玉，便到他房中来寻。只见黛玉歪在炕上，（当然有反应，立竿见影。）宝玉笑道：『起来吃饭去，就开戏了，你爱听那一出，我好点。』黛玉冷笑道：『你既这样说，你就特叫一班戏，拣我爱的唱与我听，这会子犯不上借着光儿问我。』宝玉笑道：『这有什么难的，明儿就这样行，也叫他们借着咱们的光儿。』（宝玉也只是说说而已。）一面说，一面拉他起来，携手出去。

吃了饭，点戏时，贾母一面先叫宝钗点，宝钗推让一遍，无法，只得点了一折《西游记》。贾母自是欢喜。然后便命凤姐点。凤姐虽有王夫人在前，但因贾母之命，不敢违拗，且知贾母喜热闹，更喜谑笑科诨，便先点了一出，却是《刘二当衣》。贾母果真更又喜欢。然后便命黛玉点。黛玉又让王夫人等先点。贾母道：『今儿原是我特带着你们取乐，咱们只管咱们的，别理他们。我巴巴的唱戏摆酒，为他们不成？他们在这里白听，白吃，已经便宜了，还让他们点戏呢！』（贾母好说笑话，很少装腔端架，是她的一大可爱之处。幽默感与架子最矛盾，幽默感本身带有自由、平等、博爱的意味。幽默感还需要自信，越不自信就越拘谨。）说着，大家都笑。黛玉方点了一出。然后宝玉、史湘云、迎春、探春、惜春、李纨等俱各点了，按出扮演。

至上酒席时，贾母又命宝钗点。宝钗点了一出《鲁智深醉闹五台山》。宝玉道：『你只好点这些戏。』宝钗道：『你白听了这几年戏，那里知道这出戏的好处？排场又好，词藻更妙。』宝玉道：『我从来怕这些热闹戏。』宝钗笑道：『要说这一出「热闹」，还算你不知戏呢。你过来，我告诉你，这一出戏是一套「北点绛唇」，铿锵

顿挫，那音律不用说是好的了；只那词藻中，有一只「寄生草」，填得极妙，你何曾知道！』（宝钗的戏曲知识——雪芹的戏曲知识——丰富。）宝玉见说的这般好，便凑近来央告：『好姐姐，念与我听听。』宝钗便念道：

漫揾英雄泪，相离处士家。谢慈悲，剃度在莲台下。没缘法，转眼分离乍。赤条条，来去无牵挂。那里讨，烟蓑雨笠卷单行？一任俺，芒鞋破钵随缘化！（宝钗也喜欢这样的戏词么？一、并非真喜，是作家让她喜，以预言、提醒后事。二、宝钗太入世、太务实了，就更需要另类戏词的补偿。）

宝玉听了，喜的拍膝摇头，称赏不已，又赞宝钗无书不知。林黛玉道：『安静看戏罢！还没唱《山门》，你就《妆疯》了。』说的湘云也笑了。于是大家看戏，到晚方散。

贾母深爱那做小旦的与一个做小丑的，因命人带进来，细看时，益发可怜见。因问年纪，那小旦才十一岁，小丑才九岁，大家叹息了一回。贾母令人另拿些肉果与他两个，又另赏钱两吊。凤姐笑道：『这个孩子扮上活像一个人，你们再看不出。』宝钗心内也知道，却点点头不说；宝玉也点了点头，亦不敢说。史湘云便接口道：『倒像林姐姐的模样。』宝玉听了，忙把湘云瞅了一眼，使个眼色，众人听了这话，留神细看，都笑起来了，说：『果然像得狠！』一时散了。

晚间，湘云便命翠缕把衣包收拾了，翠缕道：『忙什么？等去的那日包也不迟。』湘云道：『明早就走，还在这里做什么？看人家的嘴脸！』宝玉听了这话，忙近前说道：『好妹妹，你错怪了我。林妹妹是个多心的人。别人分明知道，不肯说出来，也皆因怕他恼。谁知你不防头就说了出来，他岂不恼？我怕你得罪了人，所以才使眼色。

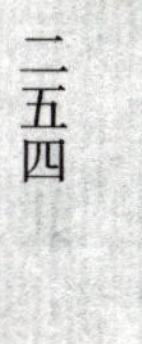

你这会子恼了我，岂不辜负了我？若是别个，那怕他得罪了十个人，与我何干呢！』湘云摔手道：『你那花言巧语，别望着我说。我也原不如你林妹妹，别人拿他取笑都使得，只我说了就有不是。我原不配说他，他是主子小姐，我是奴才丫头，得罪了他了。』（按下葫芦起了瓢，变成一场混战了。宝玉的博爱引起了博妒，引起了普遍的不平衡。湘云本来豪爽，火起来更厉害。）宝玉急的说道：『我倒是为你为出不是来了。我要有坏心，立刻化成灰，教万人践踏！』（刚向袭人起了誓，又轮到向湘云起誓了。）湘云道：『大正月里，少信口胡说这些没要紧的恶誓散语歪话！说给那些小性儿、行动爱恼人、会辖治你的人听去！（勾勒得亦出彩。）别叫我啐你。』说着，至贾母里间屋里，忿忿的躺着去了。

宝玉没趣，只得又来寻黛玉。谁知才进门，便被黛玉推出来，将门关了。宝玉又不解何故，在窗外只是低声叫：『好妹妹。』黛玉总不理他。宝玉闷闷的垂头不语。袭人早知端的，当此时，再不能劝。

那宝玉只呆呆的站着。黛玉只当他回去了，却开了门，只见宝玉还站在那里。黛玉不好再闭门，宝玉因随进来，问道：『凡事都有个原故，说来，人也不委屈。好好的就恼了，到底是为什么起？』黛玉冷笑道：『问的我倒好，我也不知为什么。我原是给你们取笑的？拿着我比戏子，给众人取笑。』宝玉道：『我并没有比你，也并没有笑你，为什么恼我呢？』（虽都是鸡毛蒜皮，也难为写得鲜活，细捉摸还有些不祥不吉利。）黛玉道：『你还要比？你还要笑？你不比不笑，比人家比了笑了的还利害呢！』（爱之深，要求高，不可原谅，不可和稀泥。）宝玉听说，无可分辩。黛玉又道：『这一节还可恕。再者，你为什么又和云儿使眼色？这安的是什么心？莫不是他和我玩，他就自轻自贱了？他是公侯的小姐，我原是贫民家的丫头。他和我玩，设如我回了口，岂不是他自惹轻贱？你是这个主意不是？你却也是好心，只是那一个不领你的情，一般也恼了。你又拿我作情，倒说我「小性儿，行动肯恼人」。你又怕他得罪了我，我恼他，与你何干？他得罪了我，又与你何干？』（对于专一性的要求可名之为『爱情专制主义』。）

宝玉听了，知方才与湘云私谈，他也听见了。细想自己原为怕他二人生隙，故在中间调停，（调停是极险的事。不可不察。）不料自己反落了两处的贬谤，正与前日所看《南华经》内：『巧者劳而智者忧，无能者无所求，蔬食而遨游，泛若不系之舟。』又曰：『山木自寇，源泉自盗』等句，因此越想越无趣；再细想来：『如今不过这几个人，尚不能应酬妥协，将来犹欲何为？』（毕竟宝玉离庄子比离孔孟直到老子，更近一些。）想到其间，也无庸分辩，自己转身回房。林黛玉见他去了，便知回思无趣，赌气去了，一言也不曾发，不禁自己越添了气，便说：『这一去，一辈子也别来了，也别说话！』

那宝玉不理，竟回来，躺在床上，只是闷嗗咄的。袭人深知原委，不敢就说，只得以他事来解说，因笑道：『今儿看了戏，又勾出几天戏来。宝姑娘一定要还席呢。』（客观上已形成钗袭为一方争取宝玉了。）宝玉冷笑道：『他还不还，与我什么相干？』袭人见这话不似往日口吻，因又笑道：『这是怎么说？好好的大正月里，娘儿们姊妹们都喜喜欢欢，你又怎么这个行景了？』宝玉冷笑道：『他们娘儿们姊妹们欢喜不欢喜，也与我无干。』袭人笑道：『他们随和，你也随和些，岂不喜欢？』宝玉道：『什么「大家彼此」？他们有「大家彼此」，我只是赤条条无牵挂的。』言及此句，不觉泪下。袭人见此景况，不敢再说。宝玉细想这一句意味，不禁大哭起来，翻身站起来，至案边，提笔立占一偈云：

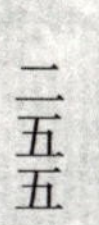

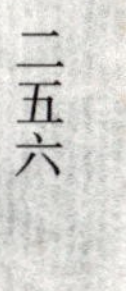

清官难断儿女情。看戏多心事件，平心而论，宝玉错处很小，所以他因此颇心灰意懒。黛玉的恼火也还说得通，一、他们看不起戏子，二、她不容忍宝玉当场与湘云的挤眉弄眼。湘云也恼火，看来有更深刻的原因，湘云已看出宝黛的特殊关系来了。凤姐是信口开个玩笑么？她是否在体察到贾母的天平倾斜以后，下意识地对黛玉有些不敬呢？赤条条无牵挂的问题反映了人类生存的又一两难选择，又一困境。个体生命是孤独的，孤独是自由的也是痛苦的。所以人需要社会，需要家庭，需要友情、爱情、人际关系、公共关系。而人际相处又带来许多不快、烦恼、纷争、误解。处于这种『他人即是地狱』的不幸中的人倾向于假想的自我的孤独化，赤条条来去无牵挂化，这也是自然的。

你证我证，心证意证。
是无有证，斯可云证。
无可云证，是立足境。（用语言的消解取代现实矛盾的消解。这是语言的魔术，也是语言的陷阱。）

写毕，自己虽解悟，又恐人看此不解，因又填一只『寄生草』，写在偈后。又念一过，自觉心中无有挂碍，（岂无牵挂？即使你不牵挂人家了，人家还牵挂你呢！）便上床睡了。

谁知黛玉见宝玉此番果断而去，假以寻袭人为由，来视动静。袭人回道：『已经睡了。』黛玉听了，就欲回去，袭人笑道：『姑娘请站着，有一个字帖儿，瞧瞧是什么话。』便将宝玉方才所写的与黛玉看。黛玉看了，知宝玉为一时感忿而作，不觉可笑可叹。便向袭人道：『作的是个玩意儿，无甚关系。』说毕，便拿了回房去，与湘云同看。次日，又与宝钗看，宝钗念其词曰：

无我原非你，从他不解伊。肆行无碍凭来去。茫茫着甚悲愁喜，纷纷说甚亲疏密？从前碌碌却因何？到如今，回头试想真无趣！（这词也还过得去，只是太劣，不得当真。）

看毕，又看那偈语，又笑道：「这个人悟了。都是我的不是，是我昨儿一支曲子惹出来的。这些道书机锋，最能移性，明儿认真起来，说些疯话，存了这个念头，岂不是从我这一支曲子起？我成了个罪魁了。」说着，便撕了个粉碎，递与丫头们，叫：「快烧了。」（虽未坑儒，却有「焚书」（撕书）的端倪。）黛玉笑道：「不该撕了，等我问他。你们跟我来，包管叫他收了这个痴心邪说。」（此三女儿团结了，宝玉也就闹不下去了。）

三人果往宝玉屋里来。黛玉先笑道：「宝玉，我问你，至贵者「宝」，至坚者「玉」。尔有何贵？尔有何坚？」

痛苦于人际的爱欲烦恼，否定此岸的价值，翻过去寻找禅理禅境，这已经与一般的写实或教化故事——如「三言」「二拍」不同了。再翻一个筋头，把初级的「觉悟」贬低，只好仍回到此岸，乖乖地翻回来，就更高明了。这就是否定之否定。

宝玉竟不能答。二人笑道：「这样愚钝，还参禅呢！」湘云也拍手笑道：「宝哥哥可输了！」黛玉又道：「你那偈末云，「无可云证，是立足境」，固然好了，只是据我看来，还未尽善。我还续两句在后。」因念云：「无立足境，方是干净。」（用极端的干净透彻批判宝玉的初步的虚无主义，犹如用极左来反对「左」，只能回到右上去。）宝钗道：「实在这方悟彻。当日南宗六祖惠能初寻师至韶州，闻五祖宏忍在黄梅，他便充役火头僧。五祖欲求法嗣，令徒弟诸僧各出一偈，上座神秀说道：「身是菩提树，心如明镜台，时时勤拂拭，莫使有尘埃。」彼时惠能在厨房舂米，听了这偈说道：「美则美矣，了则未了。」因自念一偈曰：「菩提本非树，明镜亦非台，本来无一物，何处染尘埃？」五祖便将衣钵传他。（这个故事颇带诡辩性。如果这样念偈高明，一声不吭，一个字不念，连禅本身亦鄙弃之否定之，岂不更高明？何必脱裤子放屁证明无屎无尿呢？既不穿又不脱裤子岂不更好？比赛谁更虚无本身就是自相矛盾。）今儿这偈语亦同此意了。只是方才这句机锋，尚未完全了结，这便丢开手不成？」黛玉笑道：「他不能答就算输了，这会子答上了也不为出奇了。只是以后再不许谈禅了。连我们两个所知所能的，你还不知不能呢，还去参禅呢。」宝玉自己以为觉悟，不想忽被黛玉一问，便不能答；宝钗又比出「语录」来，此皆素不见他们能者。自己想了一想：「原来他们比我的知觉在先，尚未解悟，我如今何必自寻苦恼。」（知道自己是最终难以解悟的，倒确实算一悟。）想毕，便笑道：「谁又参禅，不过是一时的玩话儿罢了。」说罢，四人仍复如旧。

这一段写钗黛联合教育宝玉，把宝玉从参禅的走火入魔中挽救过来，这种格局很少见也很耐寻味。一、二人的悟性都高于宝玉，稍一较量，宝玉就没了脾气。二、二人都有一种健康的女性现实主义，懂哲学而不沉迷哲学，不会堕入哲学——禅学的深渊。三、二人都爱宝玉。二人也毕竟是宝玉最亲敬的。宝玉虽然泛爱，对二人毕竟不同。四、二人都是曹雪芹精心塑造的女性形象，代表了作者对女性的美丽、智慧、见识的两极，或可称为曹氏对女性的美学理想的两极。五、二人的活动最终还是要听作者的指挥。不必回避，也不必认为是杀风景，小说就是小说，不是神佛显灵。这也与小说人物的相对的客观性、独立性、生动性并不矛盾。

忽然人报娘娘差人送出一个灯谜来，命他们大家去猜，猜后每人也作一个送进去。四人听说，忙出来至贾母上房，只见一个小太监，拿了一盏四角平头白纱灯，专为灯谜而制，上面已有了一个，众人都争看乱猜。小太监又下谕道：「众小姐猜着，不要说出来，每人只暗暗的写了，一齐封送进去，候娘娘自验是否。」宝钗听了，近

前一看，是一首七言绝句，并无新奇，口中少不得称赞，只说：『难猜。』故意寻思，其实一见早猜着了。宝玉、黛玉、湘云、探春四个人也都解了，各自暗暗的写了。一并将贾环贾兰等传来，一齐各揣心机猜了，写在纸上，然后各人拈一物作成一谜，恭楷写了，挂于灯上。

人们已经感到『运』并不决定于或不仅决定于主观努力——功。『运』是多方面的因素造成的，所谓天时地利人和，缺一不可。人和尤其难，镇日纷纷乱如麻的是人的主观意志。诸谜均甚可悲。不必怕这个悲。这些确是人生的一个侧面。当然不是全部。不承认无益于人生。承认、正视这些可悲的方面，超而越之包而容之战而胜之才是办法。

太监去了，至晚出来，传谕道：『前日娘娘所制，俱已猜着，惟二小姐与三爷猜的不是。小姐们作的也都猜了，不知是否？』说着，也将写的拿出来，也有猜着的，也有猜不着的。太监又将颁赐之物，送与猜着之人，每人一个宫制诗筒，一柄茶筅。独迎春贾环二人未得。迎春自以为玩笑小事，并不介意，贾环便觉得没趣。（贾环何至于斯。）且又听太监说：『三爷所作这个不通，娘娘也没猜着，叫我带回问三爷是个什么。』众人听了，都来看他作的是什么，写道：

大哥有角只八个，二哥有角只两根。
大哥只在床上坐，二哥爱在房上蹲。

众人看了，大发一笑。贾环只得告诉太监说：『是一个枕头，一个兽头。』太监记了，领茶而去。

贾母见元春这般有兴，自己一发喜乐，便命速作一架小巧精致围屏灯来，设于堂屋，命他姊妹们各自暗暗的

做了，写出来，粘在屏上，然后预备下香茶细果，以及各色玩物，为猜着之贺。贾政朝罢，见贾母高兴，况在节间，晚上也来承欢取乐。上面贾母、贾政、宝玉一席，王夫人、宝钗、黛玉、湘云又一席，迎春、探春、惜春三人又一席，俱在下面。地下婆子丫鬟站满。李宫裁、王熙凤二人在里间又一席。

贾政因不见贾兰，便问：『怎么不见兰哥儿？』（是不是贾母忘了他？贾政想起了他？反正贾母心中只宠宝玉。贾兰自己则绝不僭越。）地下女人们忙进里间问李氏，李氏起身笑着回道：『他说方才老爷并没去叫他，他不肯来。』婆子回复了贾政，众人都笑说：『天生的牛心古怪。』贾政忙遣贾环与两个婆子将贾兰唤来，贾母命他在身边坐了，抓果子与他吃，大家说笑取乐。往常间只有宝玉长谈阔论，今日贾政在这里，便唯唯而已。余者，湘云虽系闺阁弱质，却素喜谈论，今日贾政在席，也自钳口禁语；黛玉本性娇懒，不肯多话；宝钗原不妄言轻动，便此时亦是坦然自若。故此一席，虽是家常取乐，反见拘束。

贾母亦知因贾政一人在此所致，酒过三巡，便撵贾政去歇息。贾政亦知贾母之意，撵了他去，好让他姊妹兄弟们取乐，因陪笑道：『今日原听见老太太这里大设春灯雅谜，故也备了彩礼酒席，特来入会，何疼孙子孙女之心，便不略赐与儿子半点？』贾母笑道：『你在这里，他们都不敢说笑，没的倒叫我闷的慌。你要猜谜，我便说一个你猜，猜不着是要罚的。』（贾政确实正经，但正经到扼杀一切生机的地步，未免面目可憎。真正的仁者，不该是这样可厌的吧？）贾政忙笑道：『自然受罚。若猜着了，也要领赏呢！』贾母道：『这个自然。』便念道：

猴子身轻站树梢。——打一果名。

贾政已知是荔枝，故意乱猜，罚了许多东西，然后方猜着了，也得了贾母的东西，然后也念一个灯谜与贾母猜，念道：

身自端方，体自坚硬。
虽不能言，有言必应。——打一用物。

说毕，便悄悄的说与宝玉，宝玉会意，又悄悄的告诉了贾母。贾母想了一想，果然不差，便说：『是砚台。』贾政笑道：『到底是老太太，一猜就是。』回头说：『快把贺彩献上来。』（膝下承欢，堪称孝子。搞点『猫儿腻』，亦属善心。但失了规则，游戏无趣。）地下妇女答应一声，大盘小盒，一齐捧上。贾母逐件看去，都是灯节下所用所玩新巧之物，心中甚喜，遂命：『给你老爷斟酒。』宝玉执壶，迎春送酒。贾母因说：『你瞧瞧那屏上，都是他姐儿们做的，再猜一猜我听。』贾政答应，起身走至屏前，只见第一个是元妃的，写着道：

能使妖魔胆尽摧，身如束帛气如雷。
一声震得人方恐，回首相看已化灰。——打一物。（人生与一切富贵荣华均是瞬间的事，物极必反。由瞬间感而产生的破灭感。）

贾政道：『这是爆竹呢。』宝玉答道：『是。』贾政又看迎春的，道：

天运人功理不穷，有功无运也难逢。
因何镇日纷纷乱？只为阴阳数不同。——打一用物。（从诗的角度，这一首选材比较独特，胜似炮竹、风筝。）

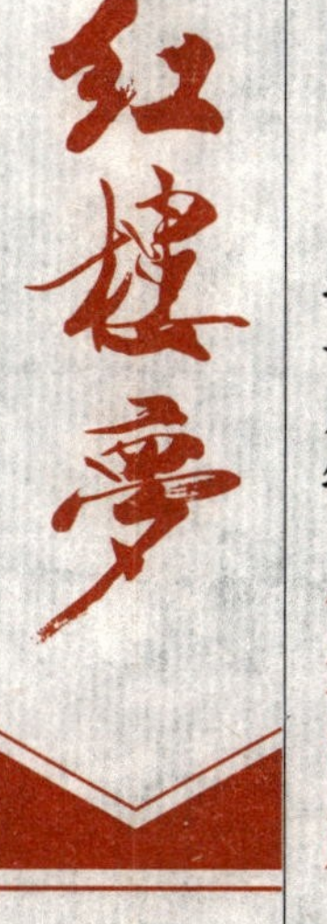

贾政道：『是算盘。』迎春笑道：『是。』又往下看，是探春的，道：

阶下儿童仰面时，清明妆点最堪宜。
游丝一断浑无力，莫向东风怨别离。——打一物。（孤独感，距离感，漂泊与流浪的体味。）

贾政道：『好像风筝。』探春道：『是。』贾政再往下看，是黛玉的，道：

朝罢谁携两袖烟？琴边衾里两无缘。（焦灼感。焦虑。也是忧患意识。）
晓筹不用鸡人报，五夜无烦侍女添。
焦首朝朝还暮暮，煎心日日复年年。（评点者当年最喜此两句。）
光阴荏苒须当惜，风雨阴晴任变迁。——打一物。

贾政道：『这个莫非是更香？』宝玉代言道：『是。』贾政又看道：

南面而坐，北面而朝，
『象忧亦忧，象喜亦喜』。——打一物。（麻木，被动。哀莫大焉。）

贾政道：『好，好！如猜镜子，妙极！』宝玉笑回道：『是。』贾政道：『这一个却无名字，是谁做的？』贾母道：『这个大约是宝玉做的。』贾政就不言语。往下再看宝钗的，道是：

有眼无珠腹内空，荷花出水喜相逢。
梧桐叶落分离别，恩爱夫妻不到冬。——打一物。（这与咏算盘的诗一样，透露的也是一种荒谬感。）

这一批灯谜与其作为谶语来读，不如作为中国式的人生处境的反思。虚无感、忧患意识、孤独感、荒谬感……都有。这当然不是说曹雪芹是个什么『主义』者，只是说曹的天才，曹的敏感，曹的经验与深思，形成了他的比哲学还要哲学的先期体验和自省。生命本体、宇宙本体，总是先于、大于、优于关于生命关于宇宙的理论，通向——紧紧联系着本体的小说，甚至于在某种意义上先于、大于、优于哲学——当然缺少哲学的明晰性与系统性、严整性。而文学本体，常常比文学理论更丰富。《红楼梦》比『红学』，『阔多啦』！）

贾政看完，心内自忖道：『此物还倒有限。只是小小年纪，作此等言语，更觉不祥，看来皆非福寿之辈。』（对言语的祥与不祥之辨，这也是一种源远流长的传统。至今我们只爱听吉利话，未免有些孩子气。）想到此处，愈觉烦闷，大有悲戚之状，只是垂头沉思。

贾母见贾政如此光景，想到他身体劳乏，又恐拘束了他众姊妹，不得高兴玩耍，即对贾政道：『你竟不必在这里了，歇着去罢。让我们再坐一会子，也就散了。』贾政一闻此言，连忙答应几个『是』，又勉强劝了贾母一回酒，方才退出去了。回至房中，只是思索，翻来复去，甚觉凄惋。（这种凄惋不可能只是源于几个谜，这种凄惋与令他凄惋的谜，均是来自生活与内心的体察。）

这里贾母见贾政去了，便道：『你们乐一乐罢。』一语未了，只见宝玉跑至围屏灯前，指手画脚，信口批评，这个这一句不好，那个破的不恰当，如同开了锁的猴子一般。（猴子，难得开一次锁。）黛玉便道：『还像方才大家坐着，说说笑笑，岂不斯文些儿。』凤姐自里间屋里出来，插口说道：『你这个人，就该老爷每日合你寸步不离方好。刚才

我忘了，为什么不当着老爷，撺掇叫你作诗谜儿。这会子不怕你不出汗呢！』说的宝玉急了，扯着凤姐儿厮缠了一会。

贾母又与李宫裁并众姊妹等说笑了一会子，也觉有些困倦，听了听，已交四鼓了，因命将食物撤去，赏与众人，随起身道：『我们安歇罢。明日还是节呢，该当早起。明日晚上再玩罢。』于是众人散去。且听下回分解。

贾政为首的孝子贤孙们设局哄骗贾母高兴，贾母岂能不知？明知是假，也要假戏真做，接受下来，因为贾母有这个需要，她需要接受不断的欢呼称颂，哪怕是假的欢呼，也比真的进言死谏可爱。

第二十三回　西厢记妙词通戏语　牡丹亭艳曲警芳心

话说贾元春自那日幸大观园回宫去后，便命将那日所有的题咏，命探春依次抄录妥协，自己编次，叙其优劣，又令在大观园勒石，为千古风流雅事。（元春亦思千古不朽。）因此贾政命人各处选拔精工名匠，大观园磨石镌字，贾珍率领贾蓉、贾萍等监工。（也是编辑『出版』事宜。元春一面告诫不可奢靡，一面出题目令贾家做文章，再加开支。）因贾蔷又管理着文官等十二个女戏子并行头等事，不得空闲，因此又将贾菖、贾菱唤来监工。一日烫蜡钉朱，动起手来。这也不在话下。

且说那个玉皇庙并达摩庵两处，一班的十二个小沙弥并十二个小道士，如今挪出大观园来，贾政正想发到各庙去分住。不想后街上住的贾芹之母周氏，正打算到贾政这边谋一个大小事件与儿子管管，也好弄些银钱使用，可巧听见这边有事，便坐车来求凤姐。凤姐因见他素日不大拿班做势的，便依允了。想了几句话，便回王夫人说：

『这些小和尚道士，万不可打发到别处去，一时娘娘出来，就要应承的。倘或散了，若再用时，可又费事。依我的主意，不如将他们都送到家庙铁槛寺去，月间不过派一个人拿几两银子去买柴米就是了。（叫作『养起来』，然后召之即来，挥之即去。）说声用，走去叫一声就来，一点儿不费事。』王夫人听了，便商之于贾政。贾政听了笑道：『倒是提醒了我。就是这样。』即时唤贾琏。

周氏为子求职，凤姐因人设事，禀王夫人，王夫人请示贾政，贾政唤贾琏来，这当然是要一个过程的。但作者一口气写下来，如『贯口』然，而且说什么『正同凤姐吃饭』。对事件的过程性、时间性以及动词的『时』，比较马虎从事。

贾琏正同凤姐吃饭，一闻呼唤，放下饭便走。凤姐一把拉住，笑道：『你且站住，听我说话，若是别的事，我不管；若是为小和尚小道士们的那事，好歹依我这么着。』如此这般，教了一套话。贾琏笑道：『我不知道，你有本事你说去。』凤姐听说，把头一梗，把筷子一放，腮上带笑不笑的瞅着贾琏道：『你当真，还是玩话儿？』贾琏笑道：『西廊下五嫂子的儿子芸儿来求了我两三遭，要件事管管，我应了，叫他等着。好容易出来这件事，你又夺了去。』凤姐儿笑道：『你放心，园子东北角上，娘娘说了，还叫多多的种松柏树，楼底下还叫种些花草，等这件事出来，我包管叫芸儿管这工程。』（各人想用各人的人，故而要有所谨让，有所妥协，有所安排。）贾琏道：『果然这样，也倒罢了。只是昨儿晚上，我不过是要改个样儿，你就扭手扭脚的。』（竟把用人上的合作与性游戏上的合作联系了起来！）凤姐听了，『嗤』的一声笑了，向贾琏啐了一口，低下头便吃饭。

贾琏一径笑着去了。走到前面，见了贾政，果然为小和尚的事，贾琏便依了凤姐的主意，说道：『看来芹儿

倒大大的出息了，这件事，竟交与他去管办，横竖照在里头的规例，每月叫芹儿支领就是了。』贾政原不大理论这些小事，听贾琏如此说，便依允了。贾琏回至房中告诉凤姐，凤姐即命人去告诉周氏，贾芹便来见贾琏夫妻，感谢不尽。凤姐又做情先支三个月的费用，叫他写了领字，贾琏批票画了押，登时发了对牌出去，银库上按数发出三个月的供给来，白花花三百两。（凤姐喜欢『做情』，这是逞威的另一面，同样有任性而为，自找苦吃的一面。）贾芹随手拈了一块与掌平的人，叫他们『吃了茶罢』。于是命小厮拿了回家，与母亲商议。登时，又雇几辆车子，至荣国府角门前，唤出二十四个人来，坐上车子，一径往城外铁槛寺去了。当下无话。

如今且说那贾元春在宫中编《大观园题咏》之后，忽想起那园中的景致，自从幸过之后，贾政必定敬谨封锁，不叫人进去，岂不辜负此园？况家中现有几个能诗会赋的姊妹们，何不命他们进去居住，也不使佳人落魄，花柳无颜。却又想宝玉自幼在姊妹丛中长大，不比别的兄弟，若不命他进去，又怕冷落了他，恐贾母王夫人心上不喜，须得也命他进去居住方妥。（元春大概并无多少事做，便沉浸在省亲的回忆中，然后频发指示。）命太监夏忠到荣府下一道谕：『命宝钗等在园中居住，不可封锢，命宝玉也随进去读书。』（元春想得周到，不那么垄断。不错。）

贾政、王夫人接了谕命，夏忠去后，便回明贾母，遣人进去各处收拾打扫，安设帘幔床帐。别人听了，还犹自可，惟宝玉喜之不胜。正和贾母盘算，要这个，要那个，忽见丫鬟来说：『老爷叫宝玉。』宝玉呆了半晌，登时扫了兴，脸上转了色，便拉着贾母，扭的扭股儿糖似的，死也不敢去。贾母只得安慰他道：『好宝贝，你只管去，有我呢，他不敢委屈了你。况你做了这篇好文章，想是娘娘叫你进园去住，他吩咐你几句话，不过是怕你在里头淘气。他

说什么，你只好生答应着就是了。』（贾母越这样说，宝玉越发不喜欢他的父亲了。）一面安慰，一面唤了两个老嬷嬷来，吩咐：『好生带了宝玉去，别叫他老子唬着他。』老嬷嬷答应了。

宝玉只得前去，一步挪不了三寸，蹭到这边来。可巧贾政在王夫人房中商议事情，金钏儿、彩云、彩凤、绣鸾、绣凤等众丫鬟都在廊檐下站着呢，一见宝玉来，都抿着嘴儿笑他。（正说明她们都与宝玉关系不错，叫作『过得着』。）金钏一把拉着宝玉，悄悄的说道：『我这嘴上是才擦的香渍的胭脂，你这会子可吃不吃了？』彩云一把推开金钏，笑道：『人家心里正不自在，你还奚落他。趁这会子喜欢，快进去罢。』宝玉只得挨门进去。原来贾政和王夫人都在里间呢。赵姨娘打起帘子，宝玉挨身而入，只见贾政和王夫人对坐在炕上说话，地下一溜椅子，迎春、探春、惜春、贾环四人都坐在那里。一见他进来，惟有探春、惜春和贾环站了起来。

贾政一举目见宝玉站在跟前，神彩飘逸，秀色夺人；又看见贾环人物委琐，举止粗糙；忽又想起贾珠来。再看看王夫人只有这一个亲生的儿子，素爱如珍；自己的胡须将已苍白，因这几件上，把平日嫌恶宝玉之心，不觉减了八九分。（亦有慈父之情。平日嫌恶之情惊人。何至于嫌恶？如是嫌恶，必是一种心理现象：是一种逆向的俄狄浦斯情结——不是子弑父，而是父弑子。）半晌说道：『娘娘吩咐你说，日日在外游嬉，渐次疏懒，如今叫禁管你同姐妹们在园里读书，你可好生用心学习；再不守分安常，你可仔细！』（宝玉那样泛爱女孩子并在女孩子中受宠，安知贾政潜意识里不嫉妒？）宝玉连连答应了几个『是』。王夫人便拉他在身边坐下。他姊弟三人依旧坐下。王夫人摸索着宝玉的脖项说道：『前儿的丸药都吃完了没有？』宝玉答应道：『还有一丸。』王夫人说：『明早再取十丸来，天天临睡时候，叫袭人

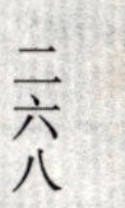

伏侍你吃了再睡。』（在那种医疗保健条件下，吃药也是一种特权享受。）宝玉道：『自从太太吩咐了，袭人天天临睡打发我吃的。』贾政便问道：『谁叫「袭人」？』王夫人道：『是个丫头。』贾政道：『丫头不拘叫个什么罢了，是谁起这样刁钻的名字？』（『红』中丫头的命名，有炫学之意。）王夫人见贾政不自在了，便替宝玉掩饰道：『是老太太起的。』贾政道：『老太太如何晓得这样的话？一定是宝玉。』宝玉见瞒不过，只得起身回道：『因素日读诗，曾记古人有句诗云：「花气袭人知昼暖。」因这丫头姓「花」，便随意起的。』王夫人忙向宝玉说道：『你回去改了罢。老爷也不用为这小事生气。』贾政道：『其实也无妨碍，不用改。只可见宝玉不务正，专在这些浓词艳诗上做工夫。』说毕，断喝了一声：『作孽的畜生，还不出去！』（一提『浓词艳诗』就来气，贾政的心理乃至功能或有不正常处。）王夫人也忙道：『去罢，去罢！怕老太太等吃饭呢。』

仅仅从阶级的、意识形态的观点分析贾政、宝玉的父子矛盾似亦牵强。如果宝玉之对贾政反感纯属一个卫道、捍卫封建，一个反封建、叛逆封建的话，贾母岂不客观上也成了反封建的后台？这种父子关系的形成因素亦相当复杂。

宝玉答应了，慢慢的退出去，向金钏儿笑着伸伸舌头，（只能与金钏儿略有交流。）带着两个老嬷嬷，一溜烟去了。刚至穿堂门前，只见袭人倚门而立，见宝玉平安回来，堆下笑来，问道：『叫你做什么？』（比对金钏儿正经多了。）宝玉告诉：『没有甚么，不过怕我进园淘气，吩咐吩咐。』一面说，一面回至贾母跟前，回明原委。只见黛玉正在那里，宝玉便问他：『你住在那一处好？』黛玉正盘算这事，忽见宝玉一问，便笑道：『我心里想着潇湘馆好，我爱那几竿竹子，隐着一道曲栏，比别处幽静。』宝玉听了，拍手笑道：『正合我的主意！我也要叫你那里去住，

我就住怡红院。咱们两个又近，又都清幽。』（虽近实远，虽清实浊，虽幽仍不见容。）

二人正计议，就有贾政遣人来回贾母，说：『二月二十二日是好日子，哥儿姐儿们好搬进去的。这几日内遣人进去分派收拾。』薛宝钗住了蘅芜院，林黛玉住了潇湘馆，贾迎春住了缀锦楼，探春住了秋掩书斋，惜春住了蓼风轩，李纨住了稻香村，宝玉住怡红院。每一处添两个老嬷嬷，四个丫头，；除各人奶娘亲随丫头外，另有专管收拾打扫的。至二十二日，一齐进去，登时园内花招绣带，柳拂香风，不似前番那等寂寞了。

贾宝玉在大观园里的日子，带有理想主义——当然是富有贾宝玉特色的理想主义色彩。因此，对其真实性可信性自来有多种说法。还是当作小说来看最好。其实也是小说的真实，合情合理而又有滋有味就行了。可以想象作者有类似的经验。不一定太虚，比如说是影射皇帝生活，似亦不必太拘泥。农民的理想是『三十亩地一头牛，老婆孩子热炕头』，『样板戏』中英烈的理想是红旗招展满神州，贾宝玉的理想则是大观园。每个人的理想都不完全凭空，也都难以原封不动地完满实现。

闲言少叙。且说宝玉自进园来，心满意足，再无别项可生贪求之心，每日只和姊妹丫鬟们一处，或读书，或写字，或弹琴下棋，作画吟诗，以至描鸾刺凤，斗草簪花，低吟悄唱，拆字猜枚，无所不至，倒也十分快意。他曾有几首四时即事诗，虽不算好，却是真情真景。（贾宝玉的天国——风景秀美的大观园，与众多聪明美丽的女孩子朝夕相处，享受着丫鬟们的服务，养尊处优。这也是一种人间天堂的图影。一种情的乌托邦。）

『春夜即事』云：

霞绡云幄任铺陈，隔巷蛙声听未真。

枕上轻寒窗外雨，眼前春色梦中人。（两联写得轻俏，全诗仍嫌平面。）

盈盈烛泪因谁泣，点点花愁为我嗔。

自是小鬟娇懒惯，拥衾不耐笑言频。

『夏夜即事』云：

倦绣佳人幽梦长，金笼鹦鹉唤茶汤。

窗明麝月开宫镜，室霭檀云品御香。

琥珀杯倾荷露滑，玻璃槛纳柳风凉。

水亭处处齐纨动，帘卷朱楼罢晚妆。

『秋夜即事』云：

绛芸轩里绝喧哗，桂魄流光浸茜纱。

苔锁石纹容睡鹤，井飘桐露湿栖鸦。

抱衾婢至舒金凤，倚槛人归落翠花。

静夜不眠因酒渴，沉烟重拨索烹茶。（几首诗的主题是富贵的青春。诗好诗坏，有诗就有一种审美的眼光看异性，这就比珍、琏、蓉辈高出一大截了。）

『冬夜即事』云：

梅魂竹梦已三更，锦罽鹴衾睡未成。
松影一庭惟见鹤，梨花满地不闻莺。
女儿翠袖诗怀冷，公子金貂酒力轻。
却喜侍儿知试茗，扫将新雪及时烹。（也时而踌躇意满于自己的风流公子哥儿的生活。）

不说宝玉闲吟，且说这几首诗，当时有一等势利人，见是荣国府十二三岁的公子做的，抄录出来，各处称颂；再有等轻薄子弟，爱上那风流妖艳之句，也写在扇头壁上，不时吟哦赏赞。因此上竟有人来寻诗觅字，倩画求题的。宝玉一发得意，每日家做这些外务。

谁想静中生动，忽一日，不自在起来，这也不好，那也不好，出来进去，只是闷闷的。（青春萌动，写得略显直白。）园中那些女孩子，正是混沌世界天真烂熳之时，坐卧不避，嬉笑无心，那里知宝玉此时的心事？那宝玉心内不自在，便懒在园内，只在外头鬼混，却又痴痴的。茗烟见他这样，因想与他开心，左思右想，皆是宝玉玩烦了的，只有这件，宝玉不曾见过。想毕，便走到书坊内，把那古今小说，并那飞燕、合德、武则天、杨贵妃的『外传』与那传奇角本，买了许多来引宝玉。（由茗烟来启蒙。为主子寻求点突破，并分担一点突破的风险，是奴才的重要使命与职能之一。茗烟又是跟谁学的？他怎么知道有这些书？）宝玉一看，如得珍宝。茗烟又嘱咐道：『不可拿进园去，若叫人知道了，我就「吃不了兜着走」呢。』宝玉那里肯不拿进去？踟蹰再四，单把那文理雅道些的，拣了几套进去，放在床顶上，无人时方看；那粗俗过露的，都藏于外面书房内。（区别处理。自古都有约束，却始终禁不绝。盖禁得了书，禁不掉『性』也。）

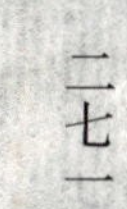

那日正当三月中浣，早饭后，宝玉携了一套《会真记》，走到沁芳闸桥那边桃花底下一块石上坐着，展开《会真记》，从头细看。正看到『落红成阵』，只见一阵风过，树上桃花吹下一大斗来，落得满身满书满地皆是花片。宝玉要抖将下来，恐怕脚步践踏了，只得兜了那花瓣，来至池边，抖在池内。那花瓣浮在水面，飘飘荡荡，竟流出沁芳闸去了。（这一段写得情景交融，脍炙人口。）

回来只见地下还有许多花瓣，宝玉正踟蹰间，只听背后有人说道：『你在这里做什么？』宝玉一回头，却是林黛玉来了，肩上担着花锄，花锄上挂着纱囊，手内拿着花帚。宝玉笑道：『好，好，来把这个花扫起来，撂在那水里去罢。我才撂了好些在那里呢。』黛玉道：『撂在水里不好，你看这里的水干净，只一流出去，有人家的地方什么没有？仍旧把花遭塌了。那畸角上我有一个花冢，如今把他扫了，装在这绢袋里，埋在那里，日久随土化了，岂不干净。』（对美的尊重与珍惜。与某种毁灭美的本能，如『文革』中给漂亮女演员推『阴阳头』，砸碎工艺品等。这种珍惜又是软弱的，脆弱的，一个丑恶粗暴的世界，有谁能这样珍惜美呢？『红』中许多情节都有预兆乃至预演，此是葬花的预演。）

宝玉听了，喜不自禁，笑道：『待我放下书，帮你来收拾。』黛玉道：『什么书？』宝玉见问，慌的藏之不迭，（好文章只好鬼鬼祟祟地读。）便说道：『不过是《中庸》《大学》。』黛玉道：『你又在我跟前弄鬼。趁早儿给我瞧瞧，好多着呢。』宝玉道：『妹妹，要论你，我是不怕的。你看了，好歹别告诉别人。真正这是好文章！你若看了，连饭也不想吃呢。』一面说，一面递了过去。黛玉把花具放下，接书来瞧，从头看去，越看越爱，不顿饭时，将十六出俱已看完。但觉词句警人，余香满口。虽看完了，却只管出神，心内还默默记诵。宝玉笑道：

『妹妹，你说好不好？』林黛玉笑道：『果然有趣。』宝玉笑道：『我就是个「多愁多病的身」，你就是那「倾国倾城的貌」。』林黛玉听了，不觉带腮连耳通红，登时竖起两道似蹙非蹙的眉，瞪了两只似睁非睁的眼，桃腮带怒，薄面含嗔，指着宝玉道：『你这该死的胡说！好好的，把这淫词艳曲弄了来，说这些混帐话来欺负我。我告诉舅舅、舅母去！』说到『欺负』二字，就把眼圈儿红了，转身就走。（看看闲书还凑和，联系实际就罪该万死了。特立独行如林黛玉，也是自我矛盾，不敢不能不想解放的。谁能解放自己的真心性？）

宝玉着了忙，向前拦住道：『好妹妹，千万饶我这一遭，原是我说错了。若有心欺负你，明儿我掉在池子里，叫个癞头鼋吃了去，变个大忘八，等你明儿做了「一品夫人」病老归西的时候，我往你坟上替你驮一辈子碑去。』（赔不是赔得好。幽而默之，化解矛盾一法。）说的林黛玉『扑嗤』的一声笑了，一面揉着眼，一面笑道：『一般唬的这么个调儿，还只管胡说。呸，原来也是个「银样蜡枪头」。』宝玉听了，笑道：『你说说，你这个呢？我也告诉去。』林黛玉笑道：『你说你会「过目成诵」，难道我就不能「一目十行」么？』宝玉一面收书，一面笑道：『正经快把花埋了罢，别提那些个了。』二人便收拾落花。（也算是「青春片」了。）

正才掩埋妥协，只见袭人走来，说道：『那里没找到？摸在这里来。那边大老爷身上不好，姑娘们都过去请安，老太太叫打发你去呢，快回去换衣服罢。』宝玉听了，忙拿了书，别了黛玉，同袭人回房换衣不提。

这里林黛玉见宝玉去了，听见众姐妹也不在房中，自己闷闷的。正欲回房，刚走到梨香院墙角外，只听见墙内笛韵悠扬，歌声婉转，林黛玉便知是那十二个女孩子演习戏文。虽未留心去听，偶然两句吹到耳内，明明白白

一字不落道：『原来是姹紫嫣红开遍，似这般，都付与断井颓垣。』林黛玉听了，倒也十分感慨缠绵，便止步侧耳细听，又唱道是：『良辰美景奈何天，赏心乐事谁家院？』（能够听得如此清晰么？阅读般地清晰？看来也是人物心理活动描写的需要，使黛玉的耳朵分外灵敏。）听了这两句，不觉点头自叹，心下自思：『原来戏上也有好文章，可惜世人只知看戏，未必能领略其中的趣味。』想毕，又后悔不该胡想，耽误了听曲子。再听时，恰唱到：『只为你如花美眷，似水流年……』黛玉听了这两句，不觉心动神摇。又听道『你在幽闺自怜』等句，越发如醉如痴，站立不住，便一蹲身坐在一块山子石上，细嚼『如花美眷，似水流年』八个字的滋味。忽又想起前日见古人诗中有『水流花谢两无情』之句，再词中又有『流水落花春去也，天上人间』之句，又兼方才所见《西厢记》中『花落水流红，闲愁万种』之句，都一时想起来，凑聚在一处。仔细忖度，不觉心痛神驰，眼中落泪。（青春是阳光，是欢乐，是火，却也是自怜、愁苦、心痛神驰。）正没个开交，忽觉背后有人击他一下，及回头看时，原来是个女子，未知是谁，下回分解。

文艺作品常起一种催春的作用。以为『春』大逆不道的人自然认为文艺也大逆不道。其实『春』的到来并不决定于文艺，文艺只是鲜明了、丰富了、共鸣了人对于自己的生命的春、夏、秋、冬的体验。文艺帮助人享受了、体验了生命。体验了花开，也体验了花落，体验了情，也体验了无情。文艺本身便是生命的鲜花，却也是落叶，也是无情的流水。无论怎么说，以宝、黛之灵性，在他们青春萌动的时候接触到《西厢记》《牡丹亭》之属，是他们的幸福。这是书成全了他们。王实甫、汤显祖，可以因为有这样的读者而感到安慰。

中国传统小说特别是戏曲中，接触到青春、春心、春情的不少，『红』算写得很细致，很弗洛伊德的。形象大于思想，生活之树常绿。

第二十四回 醉金刚轻财尚义侠 痴女儿遗帕惹相思

从情节主线结构的观点来看，读到这里仍然令读者摸不着头脑。宝、黛、钗、凤……这些主要人物的故事屡屡被打断。这一回有一搭无一搭地写到了贾赦生病又无大病，宝玉被邢夫人留饭一事，又凭空插进一个贾芸直至小红的故事。依常规来看，编辑们该批评作者太漫天撒网了吧？《红楼梦》更像大海，至少是大江，不是小溪。只因哪儿都精彩，所以看得下去。长篇小说而能句句段段有魅力，太难了。

话说黛玉正在情思萦逗、缠绵固结之时，忽有人从背后击了他一下，说道：『你作什么一个人在这里？』林黛玉唬了一跳，回头看时，不是别人，却是香菱。（香菱这个人物，按作者意图，原很重要，但一路看下去，读者仍不得要领。）林黛玉道：『你这个傻丫头，唬我一跳。你这会子打那里来？』香菱嘻嘻的笑道：『我来寻我们姑娘的，总找不着他；你们紫鹃也找你呢，说琏二奶奶送了什么茶叶来给你的。回家去坐着罢。』一面说，一面拉着黛玉的手，回潇湘馆来。果然凤姐送了两小瓶上用新茶来。林黛玉和香菱坐了，谈讲些这一个绣的好，那一个刺的精，又下一回棋，看两句书，香菱便走了，不在话下。

如今且说宝玉因被袭人找回房去，只见鸳鸯歪在床上看袭人的针线呢，见宝玉来了，便说道：『你往那里去了？

老太太等着你呢，叫你过那边请大老爷安去。还不快去换了衣裳走呢！』袭人便进房去取衣服。宝玉坐在床沿上，褪了鞋，等靴子穿的工夫，回头见鸳鸯穿着水红绫子袄儿，青缎子背心，束着白绉绸汗巾儿，脸向那边，低着头看针线，脖子上带着扎花领子。宝玉便把脸凑在脖项上，闻那香气，不住用手摩挲，其白腻不在袭人以下，便猴上身去，涎脸笑道：『好姐姐，把你嘴上的胭脂赏我吃了罢。』一面说，一面扭股糖似的粘在身上。（又闹到了鸳鸯身上。宝玉的这些无赖行径实在难说与蓉琏辈有什么大原则的区别，他年纪小，就闹成这个样子。但他毕竟还有真情，有灵性，有悟性，有他的大悲哀——也就是说有了灵魂。按某种观点，这些镜头都应剪掉。）鸳鸯便叫道：『袭人，你出来瞧瞧！你跟他一辈子，也不劝劝他，还是这么着。』袭人抱了衣服出来，向宝玉道：『左劝也不改，右劝也不改，倒到是怎么样？你再这么着，这个地方可也就难住了。』（宝玉性情之真实恰在于不仅写雅的诗，也行俗的事。宝玉的身份决定了他能上能下，可以与林黛玉共读《西厢》，也可以紧接着与丫头们鬼混。既是丫头，鬼混一下亦不失礼。宝玉见了黛玉或宝钗可没这么干过。既是阶级的分离，也是灵与肉的分离。）一边说，一边催他穿衣服，同鸳鸯往前面来；见过贾母，出至外面，人马俱已齐备。刚欲上马，只见贾琏请安回来正下马，二人对面，彼此问了两句话，只见旁边转过一个人来：『请宝叔安。』

宝玉看时，只见这人生的容长脸儿，长挑身材，年纪只有十八九岁，生得着实斯文清秀，倒也十分面善，只是想不起是那一房的，叫什么名字。贾琏笑道：『你怎么发呆，连他也不认得？他是后廊上住的五嫂子的儿子芸儿。』宝玉笑道：『是了，是了，我怎么就忘了。』因问他：『母亲好，这会子什么勾当？』贾芸指贾琏道：『找二叔说句话。』宝玉笑道：『你倒比先前越发出挑了，倒像我的儿子。』贾琏笑道：『好不害臊！人家比你大四五岁呢，就给你作儿子了？』宝玉笑道：『你今年十几岁？』贾芸道：『十八了。』

原来这贾芸最伶俐乖巧的，听宝玉说『像他的儿子』，便笑道：『俗话说的好，「摇车儿里的爷爷，拄拐棍儿的孙子」，虽然年纪大，「山高遮不住太阳」。自从我父亲死了，这几年也没人照管，若宝叔不嫌侄儿蠢，认做儿子，就是侄儿的造化了。』（机会抓住不放。）贾琏笑道：『你听见了？认了儿子，不是好开交的。』说着，就进去了。宝玉笑道：『明儿你闲了，只管来找我，别和他们鬼鬼祟祟的。（别人教育宝玉、秦钟都提到不要与『他们』混到一起，宝玉又这样教诲贾芸。『他们』是指谁呢？为什么笼统地一说『他们』，就有贬意而且彼此明白呢？只能说是宝玉仍是站在贵族立场而蔑视鄙视平民的。）这会子我不得闲儿，明日你到书房里来，和你说天话儿，我带你园里玩去。』说着，扳鞍上马，众小厮随往贾赦这边来。见了贾赦，不过是偶感些风寒。先述了贾母问的话，然后自己请了安，贾赦先站起来回了贾母问的话，便唤人来：『带进哥儿去太太屋里坐着。』

宝玉退出来，至后面，到上房，邢夫人见了，先站了起来请过贾母的安，宝玉方请安。邢夫人拉他上炕坐了，方问别人，又命人倒茶。茶未吃完，只见贾琮来问宝玉好。邢夫人道：『那里找活猴儿去！你那奶妈子死绝了，也不收拾收拾，弄得你黑眉乌嘴的，那里还像个大家子念书的孩子！』（声气不佳，与身份不甚合。）

正说着，只见贾环贾兰小叔侄两个也来请安。邢夫人叫他两个在椅子上坐着。贾环见宝玉同邢夫人坐在一个坐褥上，邢夫人又百般摸索抚弄他，早已心中不自在了，坐不多时，便向贾兰使个眼色儿要走，贾兰只得依他，一同起身告辞。宝玉见他们起身，也就要一同回去，邢夫人笑道：『你且坐着，我还和你说话。』（虽然邢王有矛盾，

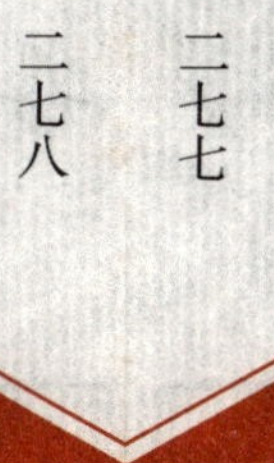

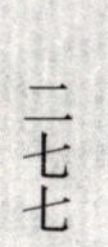

赦政亦摩擦，宝玉却老是天之骄子，具有一种超山头的得宠地位。正是这样的地位，使之丧尽了责任心。）宝玉只得坐了。邢夫人向他两个道：『你们回去，各人替我问各人的母亲好罢。你们姑娘姐妹们都在这里呢，闹的我头晕，今儿不留你们吃饭了。』贾环等答应着便出去了。宝玉笑道：『可是姐妹们都过来了，怎么不见？』邢夫人道：『他们坐了会子，都往后头不知那屋里去了。』宝玉说：『大娘说「有话说」，不知是什么话？』邢夫人笑道：『那里有什么话，不过叫你等着同姐妹们吃了饭去，还有一个好玩的东西给你带回去玩儿。』（废话也是生活。）娘儿两个说着，不觉又到了晚饭时候，请过众位姑娘们来，调开桌椅，罗列杯盘，母女姊妹们吃毕了饭，宝玉辞别贾赦，同众姊妹回家，见过贾母王夫人等，各自回房安歇，不在话下。

这一段写得淡淡的，多少反映了一些贾氏人物的关系。宝玉来看望贾赦，似有贾母特使的意味。按说贾赦是贾母儿子，关系更近才对。却向宝玉『回了贾母问的话』。邢氏对宝玉贾环的态度亦亲疏完全不同。

且说贾芸进去，见了贾琏，因打听：『可有什么事情。』贾琏告诉他说：『前儿倒有一件事情出来，偏生你婶娘再三求了我，给了贾芹了。他许我说：「明儿园里还有几处要栽花木的地方，等这个工程出来，一定给你就是了。」』那贾芸听了，半晌说道：『既是这样，我就等着罢。叔叔也不必先在婶娘跟前提我今儿来打听的话，到跟前再说也不迟。』（半晌，不快与思谋同时进行。为什么要这样请求？鬼鬼祟祟的。）贾琏道：『提他做什么，我那里有这工夫说闲话呢。明日还要到兴邑去走一走，必须当日赶回来方好。你先去等着，后日起更以后，你来讨信，早了我不得闲。』说着，便向后面换衣服去了。

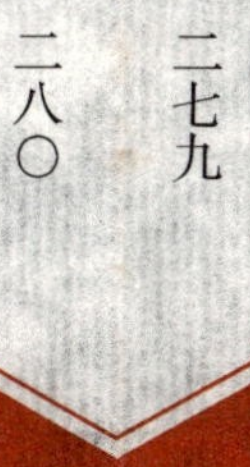

贾芸出了荣国府回家，一路思量，想出一个主意来，便一径往他母舅卜世仁家来。原来卜世仁现开香料铺，方才从铺子里回来，一见贾芸，便问：『为什么事来？』贾芸道：『有件事求舅舅帮衬，要用冰片、麝香，好歹舅舅每样赊四两给我，八月节按数送了银子来。』（下等人找下等人行下等事，不难理解，问题是贾府的上等人，也多行另一路更下等的事。）卜世仁冷笑道：『再休提赊欠一事。前日也是我们铺子里一个伙计，替他的亲戚赊了几两银子的货，至今总未还上，因此我们大家赔上，立了合同，再不许替亲友赊欠，谁要犯了，就罚他二十两银子的东道。况且如今这个货也短，你就拿现银子到我们这小铺子里来买，也还没有这些，只好倒扁儿去，这是一件。二则你那里有正经事？不过赊了去又是胡闹。你只说舅舅见你一遭儿就派你一遭儿不是，你小人家很不知好歹，也要立个主意，赚几个钱，弄弄穿的吃的，我看着也喜欢。』（穷自然有不是。大寄生者周围，定是一伙小寄生虫。）贾芸笑道：『舅舅说得有理。但我父亲没的时节，我年纪又小，不知事体。后来听我母亲说，都还亏舅舅们在我们家去出主意料理的丧事。难道舅舅是不知道的，还是有一亩地，两间房子，在我手里花了不成？「巧媳妇做不出没米的饭来」，叫我怎么样呢？还亏是我呢，要是别个，死皮赖脸的三日两头儿来缠舅舅，要三升米二升豆子的，舅舅也就没有法儿呢。』（贾芸太客气了，你已经够得上『死皮赖脸』啦。）

卜世仁道：『我的儿，舅舅要有，还不是该的。我天天和你舅母说，只愁你没个算计。你但凡立得起来，到你大房里，就是他们爷儿们见不着，便下个气和他们的管家或管事的人们嬉和嬉和，也弄个事儿管管。（『嬉和嬉和』，传神。无赖的赖办法。）前儿我出城去，碰见你们三房里的老四，骑着大叫驴，带着四五辆车，有四五十和尚道士，往家庙里去了。他那不亏能干，就有这样的事到他了？』贾芸听了唠叨的不堪，便起身告辞。卜世仁道：『怎么急的这样？吃了饭去罢……』一句话尚未说完，只见他娘子说道：『你又糊涂了！说着没有米，这里买了半斤面来下给你吃，这会子还装胖呢。留下外甥挨饿不成？』卜世仁道：『再买半斤来添上就是了。』他娘子便叫女儿：『银姐，往对门王奶奶家去问，有钱借二、三十个，明日就送来还的。』（完全可以编入相声。对付穷亲戚，也要有厚黑学功夫。）夫妻两个说话，那贾芸早说了几个『不用费事』，去的无影无踪了。

曹雪芹写贾府的穷亲戚、小人物，也很生动。贾芸去母舅家借物一节，便写尽了卑微者的辛酸但总体说来，曹对这些人并不同情，这是曹与十九世纪的批判现实主义作家的根本区别所在。小仲马对茶花女，陀思妥耶夫斯基对被侮辱与被损害的，托尔斯泰对卡秋莎——马斯洛娃，契诃夫对小公务员、赶车人和万卡，是怀着怎样的感情呀！而在曹笔下，最好如刘老老，不过是装疯卖傻取笑讨好，打打秋风。其他人更是卑鄙下流，五毒俱全，一心只想骗坑贾府罢了。倒是写贾府内的女奴——丫头们，笔下有情。但这些丫头们又无不是争着向宝玉或别的主子献媚的。鸳鸯目无宝玉，但更忠于贾母。丫头们最怕的是『撵出去配小子』——失去自己的奴隶地位。曹雪芹大体上是站在宝玉的立场——一个没落的贵族公子的立场来看一切的。我们的人文主义传统很薄弱，而现实主义是离不开人文主义的。

不言卜家夫妇，且说贾芸赌气离了母舅家门，一径回来，心下正自烦恼，一边想，一边走，低着头，不想一头就碰在一个醉汉身上，把贾芸一把拉住，骂道：『你瞎了眼，碰起我来了！』

贾芸听声音像是熟人，仔细一看，原来是紧邻倪二。（写长篇如做『期货』，把倪二这样的宝货存放在那里，待机脱颖而出。）

这倪二是个泼皮，专放重利债，在赌博场吃饭，专爱喝酒打架。此时正从欠钱人家索债归来，已在醉乡，不料贾芸碰了他，就要动手。贾芸叫道：『老二，住手！是我冲撞了你。』倪二一听他的语音，将醉眼睁开，一看，见是贾芸，忙松了手，趔趄着笑道：『原来是贾二爷，这会子那里去？』贾芸道：『告诉不得你，平白的又讨了个没趣儿。』倪二道：『不妨。有什么不平的事，告诉我，我替你出气。这三街六巷，凭他是谁，若得罪了我醉金刚倪二的街邻，管叫他人离家散！』贾芸道：『老二，你别生气，听我告诉你这缘故。』便把卜世仁一段事告诉了倪二。倪二听了大怒道：『要不是二爷的亲戚，我便骂出来。真正气死我！也罢，你也不必愁，我这里现有几两银子，你要用只管拿去。我们好街坊，这银子是不要利钱的。』（倪二夸下海口，到底有何手段？）一头说，一头从搭包内掏出一包银子来。

贾芸心下自思：『倪二素日虽然是泼皮，却也因人而施，颇有义侠之名。若今日不领他这情，怕他臊了，倒恐不美。不如用了他的，改日加倍还他就是了。』因笑道：『老二，你果然是个好汉，既蒙高情，怎敢不领，回家照例写了文约送过来便了。』倪二大笑道：『这不过是十五两三钱银子，你若要写文契，我就不借了。』贾芸听了，一面接银子，一面笑道：『我便遵命罢了，何必着急！』倪二笑道：『这才是了。天气黑了，也不让茶让酒了，我还有点事情到那边去，你竟请回。我还求你带个信儿与我们家，叫他们闭门睡罢，我不回家去；倘或有事，叫我们女孩儿明儿一早到马贩子王短腿家找我。』（豪门外、官府以外的社会，带几分黑手党的气息。）一面说，一面趔趄着脚儿去了。不在话下。

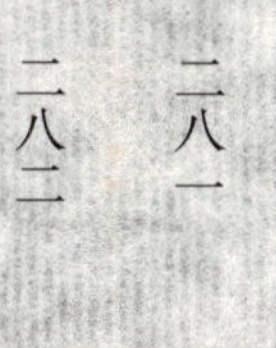

且说贾芸偶然碰见了这件事，心下也十分稀罕，想：『那倪二倒果然有些意思，只是怕他一时醉中慷慨，到明日加倍要来，便怎么处？』忽又想道：『不妨，等那件事成了，可也加倍还的起他。』因走到一个钱铺内，将那银子称一称，分两不错，心上越发欢喜。（倪二大方，贾芸并不大方。）到家先将倪二的话捎与他娘子，方回家来。见他母亲自在炕上拈线，见他进来，便问：『那里去了一天？』贾芸恐他母亲生气，便不提起卜世仁的事来，只说：『在西府里等琏二叔的。』（也是小人物的卑微处境。但与西方批判现实主义的思路不同。『红』写到贾府周围的小人物，多半是又卑微又卑劣，下作得很。比蛆虫还要不堪。）问他母亲：『吃了饭不曾？』他母亲说：『吃了。还留饭在那里。』叫小丫头拿过来与他吃。

那天已是掌灯时候，贾芸吃了饭，收拾安歇，一宿无话。次日一早起来，洗了脸，便出南门大街，在香铺买了香麝，便往荣府来。打听贾琏出了门，贾芸便往后面来。到贾琏院门前，只见几个小厮，拿着大高的笤帚在那里扫院子呢。忽见周瑞家的从门里出来叫小厮们：『先别扫，奶奶出来了。』贾芸忙上去笑道：『二婶娘那里去？』周瑞家的道：『老太太叫，想必是裁什么尺头。』

正说着，只见一群人簇拥着凤姐出来了。贾芸深知凤姐是喜奉承爱排场的，（『喜奉承爱排场』六字，是多少强者的弱点，使多少强者在蛆虫们的小小伎俩面前就范。）忙把手逼着，恭恭敬敬抢上来请安。凤姐连正眼也不看，仍往前走，只问他母亲好：『怎么不来我们家逛逛？』贾芸道：『只是身上不好，倒时常记挂着婶娘，要瞧瞧，总不能来。』凤姐笑道：『可是你会撒谎！不是我提起，他就不想我了。』贾芸笑道：『侄儿不怕雷打，就敢在长辈跟前撒谎？昨日晚上还提起婶娘来，说：「婶娘身子生得单弱，事情又多，亏婶娘好大精神，竟料理的周周全全。要是差一点儿的，早累的不知怎么样了。」」（越是假话越易流于夸张。）

凤姐儿听了，满脸是笑，由不的止了步，问道：「怎么好好的，你娘儿两个在背地里嚼说起我来？」（人人需要别人的肯定，哪怕是凤，也不排斥乌鸦的赞美。）贾芸道：「有个缘故，只因我有个极好的朋友，家里有几个钱，现开香铺，因他身上捐了个通判，前日选了云南不知那一府，连家眷一齐去。（开始上了道。）他这香铺也不开了，便把货物攒了一攒，该给人的给人，该贱发的贱发，像这贵重的，都送与亲友，所以我得了此冰片、麝香。我就和我母亲商量：贱卖了可惜，要送人也没有人家配使这些香料。因想婶娘往年间还拿大包的银子买这东西呢，别说今年贵妃宫中，就是这个端阳节所用，也一定比往常要加上十几倍，故此孝敬婶娘。」（人之道损不足以奉有余。）一面将一个锦匣递过去。

凤姐正是办端阳节的礼须用香料，便命丰儿：「接过芸哥儿的来，送了家去，交给平儿。」因又说道：「看着你这样知道好歹，怪道你叔叔常提起你来，说你好，说话明白，心里有见识。」（这方面的心思，实在也没高明到哪里去。）贾芸听这话入港，便打进一步来，故意问道：「原来叔叔也常提我的？」凤姐见问，便要告诉给他事情管的话，一想，又恐被他看轻了，只说得了这点儿香料，便混许他管事了。因又止住，且把派他种花木工程的事，都一字不提，随口说了几句淡话，便往贾母房里去了。（诡诈之心，遍及各人各处各事，他们的原则是可说假话可不说假话的一律说假话，可刁难可不刁难别人的一律刁难。痼疾已成性矣。）

贾芸也不好提的，只得回来。因昨日见了宝玉，叫他到外书房等着，故此吃了饭，便又进来，到贾母那边仪门外绮散斋书房里来。只见茗烟改名焙茗的并锄药两个小厮下象棋，为夺车正拌嘴呢；还有引泉、扫花、挑云、伴鹤四五个，在房檐下掏小雀儿玩。贾芸进入院内，把脚一跺，说道：「猴儿们淘气，我来了。」众小厮看见了他，都才散去，贾芸进书房内，便坐在椅子上，问：「宝二爷下来了没有？」焙茗道：「今日总没下来。二爷说什么，我替你哨探哨探去。」说着，便出去了。

这里贾芸便看字画古玩。有一顿饭的工夫，还不见来。再看看别的小子，都玩去了。正在烦闷，只听门前娇音嫩语的叫了一声『哥哥』，贾芸往外瞧时，是一个十五六岁的丫头，生的倒也十分精细干净，那丫头见了贾芸，便抽身要躲了，恰值焙茗走来，见那丫头在门前，便说道：「好，好，正抓不着个信儿。」贾芸见了焙茗，也就赶出来，问：「怎么样？」焙茗道：「等了这一日，也没个人儿过来。这就是宝二爷房里的。」因说道：「好姑娘，你进去带个信儿，就说廊上二爷来了。」

那丫头听见，方知是本家的爷们，便不似从前那等回避，下死眼把贾芸钉了两眼。（「下死眼」，也算出「眼」不凡，出「眼」惊人！）听那贾芸说道：「什么『廊上』『廊下』的，你只说芸儿就是了。」半晌，那丫头冷笑道：「依我说，二爷且请回去罢，明日再来。今儿晚上得空儿，我回一声。」焙茗道：「这是怎么说？」那丫头道：「他今儿也没睡中觉，自然吃的晚饭早，晚上又不下来，难道只是要二爷这里等着挨饿不成？不如家去，明儿来是正经。就便回来有人带信，不过口里答应着，他肯给带到吗？」

贾芸听这丫头的话，简便俏丽，（贾芸能听上两几句话就判断人的是否『简便俏丽』，说明他本人也属能人。）待要问他名字，因是宝玉房里的，又不便问，只得说道：『这话倒是。我明日再来。』说着，便往外去了。焙茗道：『我倒茶去。二爷吃茶再去。』贾芸一面走，一面回头说：『不吃茶，我还有事呢。』口里说话，眼睛瞧那丫头还站在那里呢。

那贾芸一径回来。至次日，来至大门前，可巧遇见凤姐往那边去请安，才上了车，见贾芸来，便命人唤住，隔窗子笑道：『芸儿，你竟有胆子在我跟前弄鬼！（能挨上凤姐骂，有门儿了。）怪道你送东西给我，原来你有事求我。昨日你叔叔才告诉我，说你求他。』贾芸笑道：『求叔叔的事，婶娘别提，我这里正后悔呢。早知这样，我一起头就求婶娘，这会子早完了，谁承望叔叔竟不能的。』（干脆说实话，一针扎到穴位上。）凤姐笑道：『怪道你那里没成儿，昨日又来寻我。』贾芸道：『婶娘辜负了我的孝心，我并没有这个意思；若有这意，昨儿还不求婶娘？如今婶娘既知道了，我倒要把叔叔丢下，少不得求婶娘，好歹疼我一点儿。』（有些实话，硬着头皮顶住。有些瞎话，老着脸皮硬说。）凤姐冷笑道：『你们要拣远路儿走，叫我也难。早告诉我一声儿，什么不成了，多大点儿事，耽误到这会子。那园子里还要种树种花，我只想不出个人来，早说不早完了。』贾芸笑道：『这样明日婶娘就派我罢。』凤姐半晌道：『这个我看着不大好，等明年正月里的烟火灯烛那个大宗儿下来，再派你罢。』（专权擅权弄权，固人生一乐也，凤姐这样一说，读者也为她感到痛快。）贾芸道：『好婶娘，先把这个派了我罢，果然这件办的好，再派我那件。』凤姐笑道：『你倒会拉长线儿！罢了，若不是你叔叔说，我不管你的事。我不过吃了饭就过来，你到午错时候来领银子，后日就进去种花。』（也还要适当照顾一下丈夫的脸面影响，大获全胜以后说点便宜话，

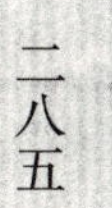

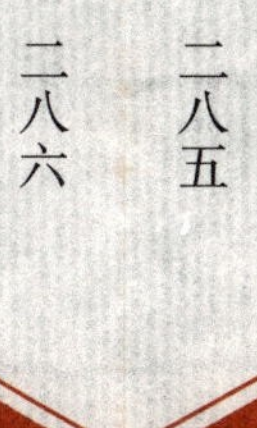

高一下姿态——终比连这样的话都不说要强。）说着，命人驾起香车，径去了。

贾芸喜不自禁。来至绮散斋打听宝玉，谁知宝玉一早便往北静王府里去了。贾芸便呆呆的坐到晌午，打听凤姐回来。（见比自己高贵的人物，难。）便写个领票来领对牌，至院外，命人通报了，彩明走了出来，单要了领票进去，批了银数、年月，一并连对牌交与贾芸。贾芸接看那批上批着二百两银子，心中喜悦，翻身走到银库上领了银子，回家告诉他母亲，自是母子俱喜。次日五更，贾芸先找了倪二还了银子，又拿了五十两银子，出西门找到花儿匠方椿家里去买树，不在话下。

且说宝玉自这日见了贾芸，曾说过明日着他进来说话，这原是富贵公子的口角，那里还记在心上，因而便忘怀了。这日晚上，却从北静王府里回来，（已与北静王来往上了。）见过贾母王夫人等，回至园内，换了衣服，正要洗澡，袭人因被薛宝钗烦了去打结子，（袭薛来往频繁。）秋纹碧痕两个去催水；檀云又因他母亲病了，接了出去，麝月又现在家中病着；还有几个做粗活听使唤的丫头，料是叫他不着，都出去寻伙觅伴的去了。（服务班子越大，越易出现缺勤、人手不够的情形。）不想这一刻的工夫，只剩了宝玉在房内，偏生的宝玉要吃茶，一连叫了两三声，方见两三个老婆子走进来。宝玉见了，连忙摇手说：『罢，罢！不用了。』老婆子们只得退出。

宝玉见没丫头们，只得自己下来，拿了碗，向茶壶去倒茶。只听背后有人说道：『二爷，仔细烫了手，等我来倒。』一面说，一面走上来接了碗去。宝玉倒唬了一跳，问：『你在那里来的？忽然来了，唬我一跳。』那丫头一面递茶，一面笑着回道：『我在后院里，才从里间后门进来，难道二爷就没听见脚步响？』（这个具体情节很难

说是小红有意高攀钻营。）

宝玉一面吃茶，一面仔细打量，那丫头穿着几件半新不旧的衣裳，倒是一头黑鸦鸦的好头发，挽着纂儿，容长脸面，细巧身材，却十分俏丽甜净。宝玉便笑问道：『你也是我这屋里的人么？』那丫头道：『是的。』宝玉道：『既是这屋里的，我怎么不认得？』（也算『官僚主义』？）那丫头听说，便冷笑一声道：『不认得的也多呢！岂止我一个。从来我又不递茶水拿东西，眼前的事一件也做不着，那里认得呢。』宝玉道：『你为什么不做眼前的事？』那丫头道：『这话我也难说。（不说也罢，说也白说。奴才中又分三六九等，奴才中也有阶级——阶层矛盾。）只是有一句话回二爷：昨日有个什么芸儿来找二爷，我想二爷不得空儿，便叫焙茗回他，叫他今日早起来，不想二爷又往北府里去了。』

就小红倒茶一事写宝玉的伶牙利爪的丫头们组成的服务班子的组成格局与突破此种格局的不可能，入木三分，合情合理，而且作者不加臧否。可思可叹！即使如一些红学家分析的或高鹗续作所写的那样，小红后来对贾家很不好，也是逼出来的。不能见爱见用，最后成了对立面。

刚说到这句话，只见秋纹碧痕嘻嘻哈哈的笑着进来，两个人共提着一桶水，一手撩衣裳，趔趔趄趄泼泼撒撒的。那丫头便忙迎出去接。那秋纹碧痕正对抱怨，『你湿了我的衣裳』，那个又说『你踹了我的鞋。』忽见走出一个人来接水，二人看时，不是别人，原来是小红。二人便都诧异，将水放下，忙进来看时，并没别人，只有宝玉，便心中俱不自在。（油然而生的嫉妒心何等自然，何等厉害！所谓同辈的嫉妒，所谓已经占先者的霸道，确是『人才』头上压着的磐石。）

只得且预备下洗澡之物，待宝玉脱了衣裳，二人便带上门出来，走到那边房内，找着小红，问他：『方才在屋里做什么？』小红道：『我何曾在屋里的？只因我的手帕子不见了，往后头找去，不想二爷要茶吃，叫姐姐们，一个儿也没有，是我进去倒了碗茶，姐姐们便来了。』（不敢承认。）秋纹兜脸啐了一口道：『没脸面的下流东西！正经叫你催水去，你说有事，倒叫我们去，你可做这个巧宗儿。一里一里的，这不上来了！难道我们倒跟不上你么？你也拿那镜子照照，配递茶递水不配！』（照一照想来是配的，宝玉对她的形象观感甚佳也。甚佳也没有办法，宝玉也没有胆量冒得罪自己的服务班子核心的危险去提拔新人。）碧痕道：『明儿我说给他们，凡要茶要水拿东西的事，咱们都别动，只叫他去便是了。』秋纹道：『这么说，还不如我们散了，单让了他在这屋里呢。』

二人你一句，我一句，正闹着，只见有个老嬷嬷进来，传凤姐的话说：『明日有人带花儿匠来种树，叫你们严禁些，衣裳裙子，别混晒混晾的。那土山一带都拦着围幕，可别混跑。』秋纹便问：『明日不知是谁带进匠人来监工？』那老婆子道：『什么后廊上的芸哥儿。』秋纹碧痕俱不知道，只管混问别的话，那小红心内明白，知是昨日外书房所见的那人了。

原来这小红本姓林，小名红玉，因『玉』字犯了宝玉黛玉的名，便单唤他做『小红』。原来是府中世仆，他父亲现在收管各处田房事务。这红玉年方十六，进府当差，把他派在怡红院中，倒也清幽雅静。不想后来命姊妹及宝玉等进大观园居住，偏生这一所儿，又被宝玉点了。（是碰到宝玉这儿的，不是派到宝玉这儿的，所以身份不高。看来，宝玉对派谁来服务，发言权有限。宝玉有宠，却无权无势。）

这小红虽然是个不谙事体的丫头，因他原有三分容貌，心内妄想向上攀高，每每要在宝玉面前现弄现弄。只是宝玉身边一干人都是伶牙利爪的，那里插得下手去？不想今日才有些消息，又遭秋纹等一场恶话，心内早灰了一半。正闷闷的，忽然听见老嬷嬷说起贾芸来，不觉心中一动，便闷闷回房，睡在床上，暗暗思量，翻来掉去，正没个抓寻。（「正路」堵死，只能剑走偏锋。）忽听窗外低低的叫道：『小红，你的手帕子我拾在这里呢。』小红听了，忙走出来看，不是别人，正是贾芸。小红不觉粉面含羞，问道：『二爷在那里拾着的？』贾芸笑道：『你过来，我告诉你。』一面说一面就上来拉他。（写烦了宝、黛、钗、云的无事生非，再写写凤、琏、芸、红之事，写完了青春闲情，再写写用人、人事之争之政，有所舒展，有所丰富。）那小红转身一跑，却被门槛绊倒。要知端底，下回分解。

能写到贾芸、倪二、小红、秋纹这里，这支笔真抡得开，作者的生活经验，够宽也够用了。

第二十五回　魇魔法叔嫂逢五鬼　通灵玉蒙蔽遇双真

话说小红心神恍惚，情思缠绵，忽朦胧睡去，遇见贾芸要拉他，却回身一跑，被门槛绊了，（在一定形势下，上进心演化成野心、邪心、贼心。）一唬醒过来，方知是梦。因此翻来复去，一夜无眠。至次日天明，方才起来，就有几个丫头来会他去打扫房子地面，提洗面水。这小红也不梳洗，向镜中胡乱挽了一挽头发，洗了手，腰中束一条汗巾，便来打扫房屋。谁知宝玉昨儿见了他，也就留心，若要指名唤他来使用，一则怕袭人等多心，二则又不知他是何情性，因而纳闷。（宝玉也怕她们，如皇帝亦怕侍臣然。）早晨起来，也不梳洗，只坐着出神。一时下了窗子，

隔着纱屉子，向外看的真切，只见几个丫头打扫院子，都擦胭抹粉，插花带柳的，独不见昨儿那一个。宝玉便靸了鞋，走出了房门，只装做看花，东瞧西望。（还得遮遮掩掩，奴隶主在奴隶中并不自由。任何格局，哪怕是奴役与占有的格局，对于格局主体，仍然是一个限制。）一抬头，只见西南角上游廊下栏杆旁有一个人倚在那里，却为一株海棠花所遮，看不真切。前进一步仔细一看，正是昨日那个丫头，在那里出神。要迎上去，又不好意思。正想着，忽见碧痕来请他洗脸，只得进去了。不在话下。

却说小红正自出神，忽见袭人招手叫他，只得走上前来。袭人笑道：『我们的喷壶坏了，你到林姑娘那边借来一用。』小红便走向潇湘馆去，到翠烟桥，抬头一望，只见山坡高处都拦着帷幕，方想起今日有匠役在此种树。原来远远的一簇人在那里掘土，贾芸正坐在山子石上监工。小红待要过去，又不敢过去，只得悄悄向潇湘馆，取了喷壶而回，无精打彩，自向房内倒着。（只能是失之交臂。封建主义对于少男少女的禁锢当然可恶。问题是在这种条件下，形成一些特殊的际遇和体验，不失为极好的文学材料，不失为对于一种生存方式——『活法』的生动表现。人是不断地探索自己的生存方式恋爱婚姻方式交合方式的。对于古人，亦不必一味否定。后之视今，如今之视昔也。）众人只说他是身子不快，也不理论。

过了一日，原来次日是王子腾夫人的寿诞，那里原打发人来请贾母、王夫人的，王夫人见贾母不去，也便不去了。倒是薛姨妈同着凤姐儿并贾家三个姊妹、宝钗、宝玉，一齐都去了。至晚方回。

王夫人正过薛姨妈房里坐着，见贾环下了学，命他去抄《金刚经咒》唪诵。那贾环便来到王夫人炕上坐着，命人点了蜡烛，拿腔作势的抄写。一时又叫彩云倒茶来，一时又叫玉钏剪蜡花，又说金钏挡了灯亮儿。众丫鬟们

素日厌恶他，都不答理他。（是众丫鬟，而且是素日厌恶，呜呼！一、确实无赖下流，确实可厌。二、丫鬟们也势利眼，既然贾环不得烟抽，便也厌他。三、作者也厌他，写到他与乃母，决无好话。三种可能，或其一，或其二，或三种并存。）只有彩霞还和他合得来，倒了茶与他，因向他悄悄的道：『你安分些罢，何苦讨人厌。』贾环把眼一瞅道：『我也知道，你别哄我。如今你和宝玉好，不大理我，我也看出来了。』彩霞咬着牙，向他头上戳了一指头，道：『没良心的！「狗咬吕洞宾——不识好歹。」』

两人正说着，只见凤姐同着王夫人都过来了。王夫人便一长一短问他今日是那几位堂客，戏文好歹，酒席如何。不多时，宝玉也来了，见了王夫人，也规规矩矩说了几句话，便命人除去了抹额，脱了袍服，拉了靴子，就一头滚在王夫人怀里；王夫人便用手摩挲抚弄他，宝玉也扳着王夫人的脖子说长说短。（王夫人对宝玉与环儿态度如此不同，有失大家风范。）王夫人道：『我的儿，又吃多了酒，脸上滚热的。你还只是揉搓，一会子闹上酒来。还不在那里静静的躺一会子去呢。』说着，便叫人拿枕头。宝玉因就在王夫人身后倒下，又叫彩霞来替他拍着。宝玉便和彩霞说笑，只见彩霞淡淡的不大答理，两眼只向着贾环。宝玉便拉他的手，说道：『好姐姐，你也理我理儿。』一面说，一面拉他的手。（这些情节，究竟是贾环可厌还是宝玉可厌呢？我们毕竟老到，不会全让雪芹牵着鼻子走。）彩霞夺手不肯，便说：『再闹就嚷了。』

二人正闹着，原来贾环听见了，素日原恨宝玉，今见他和彩霞玩耍，心上越发按不下这口气。因一沉思，计上心来，故作失手，将那一盏油汪汪的蜡烛，向宝玉脸上只一推，（如果不是站在宝玉角度，贾环此举堪称『造反有理』——

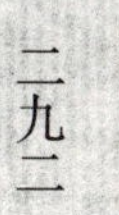

当然最后还是无理。有理也不是这个造法。）只听宝玉『嗳哟』的一声，满屋里人都唬一跳。连忙将地下的戳灯移过来一照，只见宝玉满脸是油。王夫人又气又急，一面命人替宝玉擦洗，一面骂贾环。凤姐三步两步上炕去替宝玉收拾着，一面说道：『老三还是这样「毛脚鸡」似的，我说你上不得台盘。赵姨娘平时也该教导教导他。』（凤姐上次训斥赵姨娘，明主奴之辨，是严正指出赵姨娘不配介入主子们包括贾环的事的。现在又想到赵来了，不讲道理。）一句话提醒了王夫人，遂叫过赵姨娘来，骂道：『养出这样黑心种子来，也不教训教训！几番几次我都不理论，你们一发得了意了，一发上来了！』（王夫人骂得极不得体，呸！）那赵姨娘只得忍气吞声，也上去帮着他们替宝玉收拾。只见宝玉左边脸上起了一溜燎泡，幸而没伤眼睛。王夫人看了，又心疼，又怕贾母问时难以回答，急的又把赵姨娘骂一顿；又安慰了宝玉，一面取了『败毒散』来敷上。宝玉说：『有些疼，还不妨事。明日老太太问，只说我自己烫的就是了。』凤姐道：『便说自己烫的，也要骂人不小心，横竖有一场气的。』王夫人命人好生送了宝玉回房去。袭人等见了，都慌的了不得。

林黛玉见宝玉出了一天的门，便闷闷的，晚间打发人来问了两三遍，知道烫了，便亲自赶过来。只瞧见宝玉自己拿镜子照呢，左边脸上满满的敷了一脸药。黛玉只当十分烫得利害，忙近前瞧瞧，宝玉却把脸遮了，摇手叫他出去：知他素性好洁，故不要他瞧。黛玉也就罢了，但问他：『疼得怎样？』宝玉道：『也不很疼，养一两日就好了。』林黛玉坐了一会回去了。（林黛玉来看望宝玉，写得很粗略。宝玉去看黛玉，黛对他怄气，则写得很细腻。除了作者意图外，莫非二人的爱情的滋味恰不在常态而在那哭哭笑笑的猜忌和挑剔里？）次日，宝玉见了贾母，虽自己承认自己烫的，贾母免不得又把跟从的人骂了一顿。（出了事就骂人而且是混骂，不知算一种什么人性或传统。）

过了一日，有宝玉寄名的干娘马道婆到府里来，见了宝玉，唬了一大跳，问其缘由，说是烫的便点头叹息，一面向宝玉脸上用指头画了几画，口内嘟嘟囔囔的，又咒诵了一回，说道：『包管好了。这不过是一时飞灾。』（这个说法极荒谬，却又颇能歪打正着地表述一种感受乃至一种实际。）又向贾母道：『老祖宗，老菩萨，那里知道那佛经上说的利害，大凡王公卿相人家的子弟，只一生长下来，暗里便有许多促狭鬼跟着他，（越是娇贵尊荣越觉得四面树敌，四面都是『促狭鬼』。『促狭鬼』三字妙极。马道婆本人就是促狭鬼。由马道婆解说『促狭鬼』，令人吃惊，也令人失笑。）得空儿便拧他一下，或掐他一下，或吃饭时打下他的饭碗来，或走着推他一跤，所以往往的那些大家子孙多有长不大的。』贾母听如此说，便问：『这有什么佛法解释没有呢？』马道婆便说道：『这个容易，只是多替他做些因果善事，也就罢了。再那经上还说，西方有位大光明普照菩萨，（向往永远的光明普照！有大光明普照菩萨，吾辈均应供奉之。）专管照耀阴暗邪祟，若有善男信女虔心供奉者，可以永保儿孙康宁，再无撞客邪祟之灾。』贾母道：『倒不知怎么供奉这位菩萨？』马道婆说：『也不值什么，不过除香烛供奉以外，一天多添几斤香油，点个大海灯。这海灯便是菩萨现身的法象，昼夜不敢息的。』贾母道：『一天一夜也得多少油？我也做个好事。』马道婆说：『这也不拘多少，随施主愿心。像我家里就有好几处的王妃诰命供奉的：南安郡王府里太妃，他许的愿心大，一天是四十八斤油，一斤灯草，那海灯也只比缸略小些；锦乡侯的诰命次一等，一天不过二十斤油；再有几家，或十斤、八斤、三斤、五斤的不等，也少不得要替他点。』（敬菩萨也是有级别、有定例的。）贾母点头思忖。马道婆道：『还有一件，若是为父母尊长的，

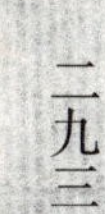

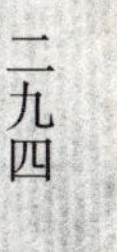

多舍些不妨；若老祖宗为宝玉，若舍多了，怕哥儿担不起，反折了福。要舍，大则七斤，小则五斤，也就是了。』贾母道：『既这么样，便一日五斤，每月打总儿关了去。』（煞有介事。曹公对这样的迷信并不客气，贾母信，曹公不信。）马道婆道：『阿弥陀佛，慈悲大菩萨！』贾母又叫人来吩咐：『以后宝玉出门，拿几串钱交给他的小子们，一路施舍与僧道贫苦之人。』（本是宝玉与贾环为彩霞而生的矛盾，经马道婆一解释，便有了形而上的意味。反而缓解了形而下的矛盾。）

说毕，那道婆便往各房问安闲逛去了。一时来到赵姨娘房里，二人见过，赵姨娘命小丫头倒茶给他吃。赵姨娘正粘鞋呢，马道婆见炕上堆着些零星绸缎，因说：『我正没有鞋面子，奶奶给我些零碎绸子缎子，不拘颜色，做双鞋穿罢。』赵姨娘叹口气道：『你瞧，那里头还有块成样的么？就有好东西也到不了我这里。你不嫌不好，挑两块去就是了。』（显然与赵姨娘有旧。）马道婆便挑了几块，掖在怀里。赵姨娘又问：『前日我打发人送了五百钱去，你可在药王面前上了供没有？』马道婆道：『早已替你上了供了。』赵姨娘叹气道：『阿弥陀佛！我手里但凡从容些，也时常来上供，只是「心有余而力不足」。』马道婆道：『你只放心，将来熬的环哥大了，得了一官半职，那时你要做多大功德，还怕不能么？』赵姨娘听了笑道：『罢，罢！再别提起，如今就是榜样儿。我们娘儿们跟的上这屋里那一个儿？宝玉儿还是小孩子家，长的得人意儿，大人偏疼他些儿，也还罢了；我只不服这个主儿！』一面说，一面伸了两个指头。（赵姨娘出口不凡，胸有『大志』，才把矛头对准『两个指头』。）马道婆会意，便问道：『可是琏二奶奶？』赵姨娘唬的忙摇手，起身掀帘子一看，见无人，方回身向道婆说：『了不得，了不得！提起这个主儿，这一分家私要不都叫他搬了娘家去，我也不是个人。』

马道婆见说，便探他的口气道：『我还用你说？难道都看不出来。也亏你们心里也不理论，只凭他去。倒也好。』（马道婆虽对贾母也毕恭毕敬，毕竟是『面』上的哄骗。对赵则交心，深谈。）赵姨娘道：『我的娘！不凭他去，难道谁还敢把他怎么样呢？』马道婆道：『不是我说句造孽的话，你们没本事！也难怪。明里不敢怎样，暗里也算计了，还等到如今！』赵姨娘闻听这话里有话，心内暗暗的欢喜，便说道：『怎么暗里算计？我倒有这个心，只是没这样的能干人。你若教给我这法子，我大大的谢你。』（莫非她们有什么共同利害关系？恐不仅是人格上的认同。马道婆为何介入得恁多恁深？从整个对白看来，几乎是马占主动，逗引着，挑拨着，激发着赵来干一件大事。莫非马道婆另有主使不成？）

马道婆听了这话打拢了一处，便又故意说道：『阿弥陀佛！你快休问我，我那里知道这些事？罪罪过过的。』

赵姨娘道：『你又来了。你是最肯济困扶危的人，（呜呼，语言！这叫——济困扶危！）难道就眼睁睁的看人家来摆布死了我们娘儿两个不成？难道还怕我不谢你么？』马道婆听如此，便笑道：『若说我不忍你们娘儿两个受别人委屈，还犹可，若说谢，我还想你们什么东西么？』赵姨娘听这话松动了些，便说：『你这么个明白人，怎么糊涂了？果然法子灵验，把他两人绝了，这家私还怕不是我们的。那时候你要什么不得呢？』（这个逻辑是从哪儿来的呢？如系指贾环成为政老爷独苗，害宝玉一人即可。再者，害死凤姐，还有贾琏，还有琏父贾赦与母邢氏，怎么不考虑？莫非已得到了贾赦夫妇的默许，已形成了默契？）马道婆听了，低头半日，说：『那时节事情妥当了，又无凭据，你还理我呢。』

赵姨娘说：『这有何难？我攒了几两体己，还有些衣服首饰，你先拿几样去，我再写个欠银文契给你，到那时，我照数给你。』马道婆道：『使得。』

赵姨娘将一个小丫头也支开，连忙开了箱柜，将衣服首饰拿了些出来，并体己散碎银子，又写了五十两一张欠约，递与马道婆道：『你先拿去作个供养。』（收钱一节，很有些职业杀手的意味。『红』已有之。）马道婆见了这些东西，又有欠字，遂不顾青红皂白，满口应承，伸手先将银子拿了，然后收了欠契。向赵姨娘要了张纸，拿剪子铰了两个纸人儿，递与赵姨娘，叫把他二人的年庚，写在上面，又找了一张蓝纸，铰了五个青面鬼，叫他并在一处，拿针钉了：『我在家中作法，自有效验的。』（用个办法暗害自己的仇人，其实这也是古今中外一些人的共同课题，共同心愿。尽管『纸人年庚』的具体办法不一定站得住，但马道婆式的人物、心计至今不绝，而且为赵姨娘式的人物所需要，所信赖，所用。万勿以此段为不经之谈而忽视之！请想想，您的周围有马道婆吗？如果您身旁有马道公、马道婆，他们读《红楼梦》吗？他们可能正忙于斗争而无闲暇看闲书吧。）说完，忽见王夫人的丫头进来道：『奶奶可在这里，太太等你呢。』二人散了，不在话下。

赵姨娘、马道婆类人物，由于精神世界、感情世界的贫乏，在『红』诸女性中显得极苍白，评点者有时认为是曹公对这一类姨娘的成见所致。我曾忖度，曹公是否有过与姨娘及庶出兄弟相处的不愉快经验。但换一个角度想，赵马这一类人物亦颇有典型性：一、粗鄙，文化品位低到了令人作呕的地步；二、促狭，自己不灵，又嫉妒得要死，谁强嫉妒谁；三、低下，上不了台盘；四、阴谋诡计，愚而诈的鬼蜮伎俩；五、消极，除了恨别人，没有任何正面的建树。这类人也参加到贾府的夺权斗争里来了，而且做法初见成效，不也是戏吗？

却说林黛玉因宝玉烫了脸不大出门，倒时常在一处说闲话儿。这日饭后，看了两篇书，又同紫鹃等作了一会针线，总闷闷不舒，一同信步出来看庭前才进出的新笋。不觉出了院门，来到园中，四望无人，惟见花光鸟语，

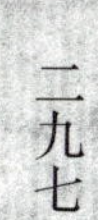
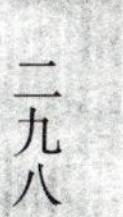

信步便往怡红院来。只见几个丫头舀水，都在过廊上看画眉洗澡呢。听见房内笑声，原来是李宫裁、凤姐、宝钗都在这里。一见他进来，都笑道：『这不又来了两个。』

黛玉笑道：『今儿齐全，谁下帖子请的？』凤姐道：『我前日打发人送两瓶茶叶与姑娘，可还好么？』黛玉道：『我正忘了，多谢想着。』宝玉道：『我尝了不好，不知别人尝了怎么样。』宝钗道：『味倒好，只是没甚颜色。』凤姐道：『那是暹罗国贡的。我尝了也不觉甚好，还不如我们常吃的呢。』（『暹罗国贡的』云云，不知是凤姐吹还是曹公吹。说不怎么好，就更吹出水平来了。）黛玉道：『我吃着好，不知你们的脾胃是怎样的？』宝玉道：『你说好，把我的都拿了去吃罢。』凤姐道：『我那里还多着的呢。』黛玉道：『我叫丫头取去。』凤姐道：『不用，我打发人送来。我明日还有一事求你，一同叫人送来。』

黛玉听了，笑道：『你们听听，这是吃了他家一点子茶叶，就使唤起人来了。』凤姐笑道：『你既吃了我家的茶，怎么还不给我们家作媳妇儿？』（凤姐这个玩笑天真无邪，并无含义，也无计谋。却多少意识到一点蛛丝马迹。）众人都大笑不止。黛玉红了脸，回过头去，一声儿不言语。宝钗笑道：『我们二嫂子的诙谐是好的。』黛玉道：『什么诙谐，不过是贫嘴贱舌的讨人厌罢了。』说着又啐了一口。凤姐道：『你替我家做了媳妇，少些什么？』指着宝玉道：『你瞧瞧，人物儿配不上？门第儿配不上？根基儿家私配不上？那一点儿玷辱了你？』黛玉起身便走。

宝钗叫道：『颦儿急了，还不回来呢！走了倒没意思。』说着，站起来拉住。才至房门，只见赵姨娘和周姨娘两个人都来瞧宝玉。宝玉与众人都起身让坐，独凤姐不理。（连周姨娘也不理吗？）宝钗正欲说话，只见王夫人房

里的丫头来说：『舅太太来了，请奶奶姑娘们出去呢。』李宫裁连忙同着凤姐儿走了。赵周两人也辞了出去。宝玉道：『我不能出去，你们好歹别叫舅母进来。』又说：『林妹妹，你略站一站，与你说句话。』凤姐听了，回头向林黛玉道：『有人叫你说话呢。』便把黛玉往后一推，（这一推有点起上一映的意思。）和李纨一同去了。

这里宝玉拉了黛玉的手，只是笑，又不说话。黛玉不觉又红了脸，挣着要走。宝玉道：『嗳哟！好头疼！』黛玉道：『该，阿弥陀佛！』宝玉大叫一声，将身一跳，离地有三四尺高，口内乱嚷，尽是胡话。黛玉并众丫鬟都唬慌了，忙报知王夫人与贾母。此时王子腾的夫人也在这里，都一齐来看。宝玉一发拿刀弄杖，寻死觅活的，闹的天翻地覆。（虽然低俗，却正反映了那时人们的认识。这就叫『信什么有什么』。这就叫『疑心生暗鬼』与『见怪不怪，其怪自败』。或者是从侧面写宝玉曾患青春期精神疾患。）贾母王夫人一见，唬的抖衣乱战，『儿』一声『肉』一声，放声大哭。于是惊动了众人，连贾赦、邢夫人、贾珍、贾政并琏、蓉、芸、萍、薛姨妈、薛蟠并周瑞家的一干家中上下人等并丫鬟媳妇等，都来园内看视，登时乱麻一般。正没个主意，只见凤姐手持一把明晃晃的刀砍进园来，见鸡杀鸡，见犬杀犬，见了人，瞪着眼就要杀人。众人一发慌了。周瑞媳妇带着几个力大的女人，上去抱住，夺了刀，抬回房中。平儿丰儿等哭的哀天叫地。贾政也心中着忙。当下众人七言八语，有说送祟的，有说跳神的，有荐玉皇阁张道士捉怪的，整闹了半日，祈求祷告百般医治，并不见好。日落后，王子腾夫人告辞去了。

每次读到这里总觉得作者有过青春期精神病的经验。把这解释为赵姨娘与马道婆的邪术能不能站得住则是另一问题。从前面数回看来，宝玉本身差不多有精神病基因，即使没有这次发作，他也是潜在的精神病患者，是亟需心理保健的一个准病人。凤姐的发作

则近似于躁狂症——情绪型精神病。一个人自我感觉好到无以复加的地步，快发病了。）

次日，王子腾也来问候。接着小史侯家、邢夫人弟兄并各亲戚都来瞧看，也有送符水的，也有荐僧道的，也有荐医的。他叔嫂二人，一发糊涂，不省人事，身热如火，在床上乱说，到夜里更甚。因此那些婆子丫鬟不敢上前，故将他叔嫂二人，都搬到王夫人的上房内，着人轮班守视。贾母、王夫人、邢夫人并薛姨妈寸步不离，只围着哭。

此时贾赦贾政又恐哭坏了贾母，日夜熬油费火，闹的上下不安。贾赦还各处去寻觅僧道。贾政见不效验，因阻贾赦道：『儿女之数，总由天命，非人力可强。他二人之病，百般医治不效，想是天意该如此，也只好由他去。』贾赦不理，仍是百般忙乱。

看看三日光阴，那凤姐宝玉躺在床上，连气息都微了。合家都说没了指望了，忙的将他二人的后事都治备下了。（治备了后事。赵姨娘后来那样说话就有了根据了。）贾母、王夫人、贾琏、平儿、袭人等更哭的死去活来。只有赵姨娘外面假作忧愁，心中称愿。至第四日早，宝玉忽睁开眼向贾母说道：『从今已后，我可不在你家了，快打发我走罢。』贾母听见这话，如同摘了心肝一般。赵姨娘在旁劝道：『老太太也不必过于悲痛。哥儿已是不中用了，不如把哥儿的衣服穿好，让他早些回去，也免他受些苦；只管舍不得他，这口气不断，他在那里，也受罪不安。』（或谓赵姨娘此番话不够策略。也难说，这样说话并不违例，也不含愿宝玉死之意。贾母之骂是早有看法，并非单纯因此几句话而起。）这些话没说完，被贾母照脸啐了一口唾沫，骂道：『烂了舌头的混账老婆！怎么见得不中用了？你愿意他死了，有什么好处？你别

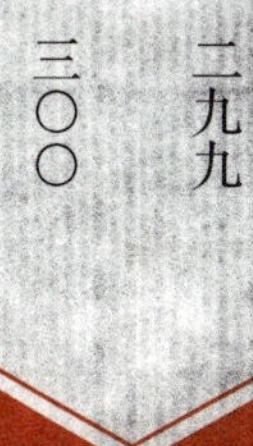

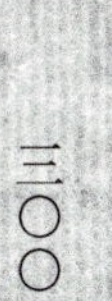

作梦！他死了，我只合你们要命。都是你们素日调唆着，逼他念书写字，把胆子唬破了，见了他老子就像个『避猫鼠儿』一样。都不是你们这起小妇调唆的？这会子逼死了他，你们就随了心了。我饶那一个！』（骂得倒也痛快，有情。可见贾母也不是『善良百姓』，骂起人来丝毫不含糊，起码掌握了足够的骂人语词，有过撒村的基本训练。谁都有两手，文明一手与野的一手。光文的一手不够用的时候，野的一手就上来了。）一面哭，一面骂。贾政在旁听见这些话，心里越发着急，忙喝退了赵姨娘，委宛劝解了一番。忽有人来回：『两口棺木都做齐了。』贾母闻之，如刀刺心，一发哭着大骂，问：『是谁叫做的棺材？快把做棺材的人拿来打死！』闹了个天翻地覆。

忽听见空中隐隐有木鱼声，念了一句『南无解冤解结菩萨！有那人口不利、家宅不安、中邪祟、逢凶险的，我们善能医治。』贾母王夫人便命人向街上找寻去。原来是一个癞和尚同一个跛道士。（这一段混闹还有两个意义，一是说明了宝玉与凤姐的命运共同体的存在，另一是引来了可能已被读者忘记了的一僧一道和那块神秘玉石。）那和尚是怎的模样？但见：

鼻如悬胆两眉长，目似明星有宝光；
破衲芒鞋无住迹，腌臜更有一头疮。

那道人是如何模样？看他时：

一足高来一足低，浑身带水又拖泥；
相逢若问家何处，却在蓬莱弱水西。（以肮脏、头疮、跛足、水泥来疏离于世俗，可怜也。）

这一部分内容本来是不可以做写实的论证的。如果是象征地看，赵、马的能量与破坏性不可低估。视为荒唐一笑，反倒是书生气了。自开篇至现在，每隔一段就出现一下和尚道士。这里有曹公的自相矛盾处。他是要写人生如梦，万事终成空，终归大荒的。但写起现实的生活来，曾经现实或可能现实的，又是千般生动，万般逼真，情丝不断，怀念有加，这与『归大荒』的写作宗旨背道而驰了。故而，时不时需要一个情节，需要代表彼岸的和尚道士人物来提醒读者：你们看到的花花世界，其实线是牵在彼岸的，转瞬即逝的，哀哉！

贾政因命人请了进来，问他二人：『在何山修道？』那僧笑道：『长官不消多话，因知府上人口欠安，特来医治的。』贾政道：『有两个人中了邪，不知有何方可治？』那道人笑道：『你家现有希世之宝，可治此病，何须问方！』贾政心中便动了，因道：『小儿生时虽带了一块玉来，上面刻着「能除凶邪」，然亦未见灵效。』那僧道：『长官有所不知，那「宝玉」原是灵的，只因为声色货利所迷，故此不灵了。（没有欲望，何谈人生？欲望——声色货利云云，又可能异化为迷途、为陷阱、为灾害；同样，控制调节这种欲望的企图，也可能异化为教条、为自戕、为枷锁。人生是麻烦的呀。）你今将此宝取出来，待我持诵持诵，就依旧灵了。』

贾政便向宝玉项上取下那块玉来，递与他二人。那和尚擎在掌上，长叹一声，道：『青埂峰下，别来十三载矣！人世光阴迅速，尘缘未断，奈何奈何！可羡你当日那段好处：

天不拘兮地不羁，心头无喜亦无悲；

只因锻炼通灵后，便向人间惹是非。（自由与麻木为伍，灵与是非共生。）

可惜今日这番经历呀：

粉渍脂痕污宝光，房栊日夜困鸳鸯；

沉酣一梦终须醒，冤债偿清好散场。』（散场？别忘了『你方唱罢他登场』！）

念毕，又摩弄了一回，说了些疯话，递与贾政道：『此物已灵，不可亵渎，悬于卧室槛上，除自己亲人外，不可令阴人冲犯。三十三日之后，包管好了。』（装神弄鬼，向往大荒。除了说话比马道婆多了一点哲学性，操作上与马道婆无大区别。破马道婆的法，仍未能彻底脱离马道婆模式，可惜了。）贾政忙命人让茶，那二人已经走了，只得依言而行。

凤姐宝玉果一日好似一日的，渐渐醒来，知道饿了，贾母王夫人才放了心。众姊妹都在外间听消息，黛玉先念一声佛，宝钗笑而不言，惜春道：『宝姐姐笑什么？』宝钗道：『我笑如来佛比人还忙：又要度化众生；又要保佑人家病痛，都叫他速好；又要管人家的婚姻，叫他成就。你说可忙不忙？可好笑不好笑？』（宝钗如此超拔冷静？）一时林黛玉红了脸，啐了一口道：『你们都不是好人！再不跟着好人学，只跟着凤丫头学的贫嘴。』（与其说宝钗学凤姐的贫嘴，不如说是反击其贫嘴。）一面说，一面掀帘子出去了。欲知端详，下回分解。

逢五鬼，中魇魔，僧道救援，再谈『宝玉』，写起来略有不自然处。前边的写实气氛太浓了，难以转到这种象征式、魔幻式的描写上来。但毕竟还不懂什么创作方法、主义，故不失自由，不失从一个世界转入另一个世界的能力。小说毕竟是小说。一本正经，一点荒诞不经的东西都没有，会乏味的。一味荒诞不经，信『手』开河，也难以撼动人心。）

魔法、邪术、蛊惑，信之则有，有之则成为生活素材乃至文学要素。

第二十六回　蜂腰桥设言传心事　潇湘馆春困发幽情

话说宝玉养过了三十三天之后，不但身体强壮，亦且连脸上疮痕平复，仍回大观园去。这也不在话下。（也是虎头蛇尾。后四十回虽有交代，是走个过场罢了。王按：虎头蛇尾可能是万事万象的规律。）

且说近日宝玉病的时节，贾芸带着家下小厮坐更看守，昼夜在这里，那小红同众丫鬟也在这里守着宝玉，彼此相见多日，都渐渐混熟了。小红见贾芸手里拿着手帕子，倒像是自己从前掉的，待要问他，又不好问的。（小红是个有头脑的人，她多思虑，颇思虑到了一些不愉快的东西。所以她显得有一些邪恶。我国常把智力与道德分离开。「愚忠」有，「智忠」或「愚奸」就没有。）不料那和尚道士来过，用不着一切男人，贾芸仍种树去了。这件事待放下又放不下，待要问去又怕人猜疑，正是犹预不决神魂不定之际，忽听窗外问道：『姐姐在屋里没有？』小红闻听，在窗眼内望外一看，原来是本院的一个小丫头名叫佳蕙的，因答说：『在家里呢，你进来罢。』佳蕙听了跑进来，就坐在床上，笑道：『我好造化！才在院子里洗东西，宝玉叫往林姑娘那里送茶叶，花大姐姐交给我送去，可巧老太太给林姑娘送钱来，正分给他们的丫头们呢，见我去了，林姑娘就抓了两把给我，也不知多少，你替我收着。』便把手帕子打开，把钱倒了出来，小红就替他一五一十的数了收起。（有向着灯的，有向着火的，世界永远不太平。）

佳蕙道：『你这一阵子心里到底觉怎么样？依我说，你竟家去住两日，请一个大夫来瞧瞧，吃两剂药，就好了。』小红道：『那里的话？好好的，家去做什么！』佳蕙道：『我想起来了，林姑娘生的弱，时常吃药，你就和他要些来吃，也是一样。』小红道：『胡说！药也是混吃的？』佳蕙道：『你这也不是个长法儿，又懒吃懒喝的，

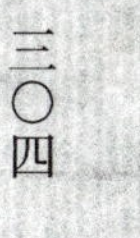

终久怎么样？』小红道：『怕什么，还不如早些死了倒干净。』（小红也有这等林黛玉式的观念。）佳蕙道：『好好的，怎么说这些话？』小红道：『你那里知道我心中的事！』

佳蕙点头，想了一会道：『可也怨不得你。这个地方，本也难站。（比小红地位更低，牢骚更盛。）就像昨儿老太太因宝玉病了这些日子，说伏侍的人都辛苦了，如今身上好了，各处还香了愿，叫把跟着的人都按着等儿赏他们。我们算年纪小，上不去，我也不抱怨；像你怎么也不算在里头？我心里就不服。袭人那怕他得十分儿，也不恼他，原该的。说句良心话，谁还能比他呢？别说他素日殷勤小心，便是不殷勤小心，也拼不得。（没有等级不行，等级又造成了种种怨懑、矛盾。）只可气晴雯绮霞他们这几个，都算在上等里去，仗着老子娘的脸面，众人倒捧着他去。你说可气不可气？』（晴雯的危机不仅在上面，也在「下面」。）小红道：『也不犯着气他们。俗语说的：「千里搭长棚，没有个不散的筵席。」谁守一辈子呢？不过三年五载，各人干各人的去了，那时谁还管谁呢？』（越说越深，再说，小红快成「思想者」了。）这两句话不觉感动了佳蕙心肠，由不得眼圈儿红了，又不好意思无端的哭，只得勉强笑道：『你这话说的是。昨儿宝玉还说，明儿怎么样收拾房子，怎么样做衣裳，倒像有几百年熬煎。』（命运常发出枭鸟的声音。但佳蕙的逻辑不对。「逆旅」「过客」之说自古有之。只住一个晚上的旅馆，也得打扫安置呀！收拾房子做衣裳并不是妄，用几百年的熬煎做判断标准，才是诡辩，才是妄。）

小红听了，冷笑两声，方要说话，只见一个未留头的小丫头走进来，手里拿着些花样子并两张纸，说道：『这两个花样子，叫你描出来呢。』说着，向小红撂下，回转身就跑了。小红向外问道：『到底是谁的？也等不得说

完就跑。「谁蒸下馒头等着你，怕冷了不成？」」那小丫头在窗外只说得一声：「是绮大姐姐的。」抬起脚来，「咕咚咕咚」又跑了。（读「红」，对大丫头们印象深，其实二、三、四等的丫头们的状况，写得很有意味。）小红便赌气把那样子掷在一边，向抽屉内找笔，找了半天，都是秃了的，因说道：「前儿一枝新笔放在那里了？怎么想不起来。」一面说，一面出神，想了一会，方笑道：「是了，前儿晚上莺儿拿了去了。」便向佳蕙道：「你替我取了来。」佳蕙道：「花大姐姐还等着我替他拿箱子，你自取去罢。」小红道：「他等着你，你还坐着闲打牙儿？我不叫你取去，他也不等你了。坏透了的小蹄子！」（与佳蕙并非真是一党。说说空话挑拨一下是非容易，真给你帮忙，难。）

说着自己便出房来。出了怡红院，一径往宝钗院内来。刚至沁芳亭畔，只见宝玉的奶娘李嬷嬷从那边来。小红立住，笑问道：「李奶奶，你老人家那里去了？怎么打这里来？」李嬷嬷站住，将手一拍，道：「你说，好好的，又看上了那个什么「云哥儿」「雨哥儿」的，这会子逼着我叫了他来。明儿叫上房里听见，可又是不好。」小红笑道：「你老人家当真的就信着他去叫么？」（小红先问清楚有关情况。很有心计。）李嬷嬷道：「可怎么样呢？」小红笑道：「那一个要是知好歹，就回不进来才是。」李嬷嬷道：「他又不傻，为什么不进来？」小红道：「既是进来，你老人家该别同他一齐儿来，回来叫他一个人乱碰，可是不好么！」李嬷嬷道：「我有那们大工夫和他走？不过告诉了他，回来打发个小丫头子，或是老婆子，带进他来就完了。」说着拄着拐一径去了。小红听说，便站着出神，且不去取笔。

不多时，只见一个小丫头跑来，见小红站在那里，便问道：「红姐姐，你在这里作什么呢？」小红抬头见是小丫头子坠儿。小红道：「那里去？」坠儿道：「叫我带进芸二爷来。」说着，一径跑了。这里小红刚走至蜂腰

桥门前，只见那边坠儿引着贾芸来了。那贾芸一面走，一面拿眼把小红一溜；那小红只装着和坠儿说话，也把眼去一溜贾芸：四目恰好相对。小红不觉把脸一红，一扭身往蘅芜院去了。（限制得越严交流得越迅速简单可贵。）不在话下。

这里贾芸随着坠儿逶迤来至怡红院中，（就这样从对小红的描写转到贾芸身上来了。）坠儿先进去回明了，然后方领贾芸进去。贾芸看时，只见院内略略有几点山石，种着芭蕉，那边有两只仙鹤，在松树下剔翎。一溜回廊上吊着各色笼子，各色仙禽异鸟。上面小小五间抱厦，一色雕镂新鲜花样槅扇，上面悬着一个匾，四个大字，题道是：「怡红快绿」。贾芸想道：「怪道叫「怡红院」，原来匾上是这四个字。」正想着，只听里面隔着纱窗子笑说道：「快进来罢！我怎么就忘了你两三个月。」贾芸听见是宝玉的声音，连忙进入房内，抬头一看，只见金碧辉煌，文章烟烁，却看不见宝玉在那里。（通过他人的眼睛写怡红院，写宝玉的生活环境与讲究排场，是曹公惯用的方法。）一回头，只见左边立着一架大穿衣镜，从镜后转出两个一对儿十五六岁的丫头来，说：「请二爷里头屋里坐。」

贾芸连正眼也不敢看，连忙答应了，又进一道碧纱厨，只见小小一张填漆床上，悬着大红销金撒花帐子。宝玉穿着家常衣服，靸着鞋，倚在床上，拿着本书，看见他进来，将书掷下，早带笑立起身来。（宝玉活在云端，贾芸活在泥沼里，是不是云端的人更见性情，而泥沼里的人容易污秽呢？）贾芸忙上前请了安，宝玉让坐，便在下面一张椅子上坐了。宝玉笑道：「自从那个月见了你，我叫你往书房里来，谁知接接连连许多事情，就把你忘了。」贾芸笑道：「总是我没福，偏偏又遇着叔叔欠安。叔叔如今可大安了？」（无聊笔墨，只为下文。）宝玉道：「大好了。我倒听见说你辛苦了好几天。」贾芸道：「辛苦也是该当的。叔叔大安了，也是我们一家子的造化。」（贾芸等人反映的是

主子阶层中的边缘人物。）说着，只见有个丫鬟端了茶来与他，那贾芸口里和宝玉说话，眼睛却瞅那丫鬟：细挑身子，容长脸儿，穿着银红袄儿，青缎子背心，白绫细折儿裙子。

那贾芸自从宝玉病了，他在里头混了两天，都把有名人口记了一半，他看见这丫鬟，知道是袭人，他在宝玉房中，比别人不同，如今端了茶来，宝玉又在旁边坐着，便忙站起来，笑道：『姐姐怎么替我倒起茶来？我来到叔叔这里，又不是客，让我自己倒罢了。』（对宝二爷的近侍、侍卫长，贾芸安敢大意？人际关系是复杂的。奴仗主势，主分十等，奴分十级。）宝玉道：『你只管坐着罢。丫头们跟前也是这样。』贾芸笑道：『虽如此说，叔叔房里姐姐们，我怎么敢放肆呢。』一面说，一面坐下吃茶。

那宝玉便和他说些没要紧的散话。又说道谁家的戏子好，谁家的花园好，又告诉他谁家的丫头标致，谁家的酒席丰盛，又是谁家有奇货，又是谁家有异物。那贾芸口里只得顺着他说。说了一回，见宝玉有些懒懒的了，便起身告辞。宝玉也不甚留，（『不甚留』三字说明天真如宝玉，也有做姿态俯就的时候。）只说：『你明儿闲了只管来。』仍命小丫头子坠儿送出去了。

出了怡红院，贾芸见四顾无人，便脚步慢慢的停着些走，口里一长一短和坠儿说话。（坠儿就是后来因偷东西被晴雯驱逐的那位。）先问他：『几岁了？名字叫什么？你父母在那行上？在宝叔房内几年了？一个月多少钱？共总宝叔房内有几个女孩子？』（提问太多，便给人以奸诈之感，别有用心之感。）那坠儿见问，便一桩桩的都告诉他了。贾芸又道：『刚才那个和你说话的，他可是叫小红？』坠儿笑道：『他就叫小红。你问他作什么？』（贾芸、小红，天生有缘。）

贾芸道：『方才他问你什么手帕子，我倒拣了一块。』坠儿听了笑道：『他问了我好几遍，可有看见他的帕子的。我哪有那么大工夫管这些事！今儿他又问我。他说，我替他找着了他还谢我呢。才在蘅芜院门口说的，二爷也听见了，不是我撒谎。好二爷，你既拣了，给我罢，我看他拿什么谢我。』

原来上月贾芸进来种树之时，便拣了一块罗帕，知是这园内的人失落的，但不知是那一个人的，故不敢造次。（拾手帕也罢，拾玉镯也罢，拾到异性一样东西就这样敏感，这样大做文章。）今听见小红问坠儿，知是他的，心内不胜喜幸。又见坠儿追索，心中早得了主意，便向袖内将自己的一块取了出来，向坠儿笑道：『我给是给你，你若得了他的谢礼，可不许瞒我的。』坠儿满口里答应了，接了手帕子，送出贾芸，回来找小红，不在话下。（在作者眼中，红、坠、芸，都是歪瓜裂枣。）

贾芸进大观园又进怡红院，也算殊荣，也算偶然。从曹公笔意看，这似乎是一件坏事，孕育着日后的危险。贾府只能封闭，不能开放，开放就飞进了贾芸这样的苍蝇蚊子。

如今且说宝玉打发贾芸去后，意思懒懒的，歪在床上，似有朦胧之态。袭人便走上来，坐在床沿上推他，说道：『怎么又要睡觉？你闷的很，出去逛逛不好？』宝玉见说，携着他的手笑道：『我要去，只是舍不得你。』袭人笑道：『快起来罢！』一面说，一面拉了宝玉起来。宝玉道：『可往那里去呢？怪腻腻烦烦的。』（『腻烦』二字颇能说明无事可做而又养尊处优的公子哥儿的心态。下层人冻饿苦累，公子哥儿温饱享乐，却只有腻烦了。百无聊赖。腻烦确是一种罪过。）袭人道：『你出去了就好了。只管这么葳蕤，越发心里腻烦了。』

宝玉无精打彩，只得依他。出了房门，在回廊上调弄了一回雀儿，出至院外，顺着沁芳溪，看了一回金鱼。只见那边山坡上两只小鹿箭也似的跑来。宝玉不解何意，正自纳闷，只见贾兰在后面，拿着一张小弓儿追了下来。一见宝玉在前，便站住了，笑道：『二叔叔在家里呢，我只当出门去了。』宝玉道：『你又淘气了。好好的射他做什么？』（说『好好的射他做什么』时，宝玉还有一点仁及幼鹿的意思，立即却归结到『磕牙』上。）贾兰笑道：『这会子不念书，闲着做什么？所以演习演习骑射。』宝玉道：『把牙磕了，那时候才不演呢。』

说着，便顺脚一径来至一个院门前，只见凤尾森森，龙吟细细，却是潇湘馆。宝玉信步走入，只见湘帘垂地，悄无人声。走至窗前，觉得一缕幽香，从碧纱窗中暗暗透出。宝玉便将脸贴在纱窗上往里看时，耳内忽听得细细的长叹了一声，道：『「每日家，情思睡昏昏。」』（也在腻烦。）宝玉听了，不觉心内痒将起来。（因腻烦而访黛，不免可叹。）再看时，只见黛玉在床上伸懒腰。宝玉在窗外笑道：『为什么「每日家情思睡昏昏」的？』一面说，一面掀帘子进来了。

黛玉自觉忘情，不觉红了脸，拿袖子遮了脸，翻身向里装睡着了。宝玉才走上来，要扳他的身子，只见黛玉的奶娘并两个婆子却跟了进来，说：『妹妹睡觉呢，等醒来再请罢。』刚说着，黛玉便翻身坐了起来，笑道：『谁睡觉呢？』（这些细节不乏少女情趣。）那两三个婆子见黛玉起来，便笑道：『我们只当姑娘睡着了。』说着，便叫紫鹃，说：『姑娘醒了，进来伺候。』一面说，一面都去了。黛玉坐在床上，一面抬手整理鬓发，一面笑向宝玉道：『人家睡觉，你进来做什么？』宝玉见他星眼微饧，香腮带赤，不觉神魂早荡，一歪身坐在椅子上，笑道：『你才说什么？』黛玉道：『我没说什么。』宝玉笑道：『给你个榧子吃呢！我都听见了。』

二人正说话，只见紫鹃进来。宝玉笑道：『紫鹃，把你们的好茶倒碗我吃。』紫鹃道：『那里有好的呢？要好的只好等袭人来。』（紫鹃极厚道，说此话亦有点酸溜溜的。）黛玉道：『别理他。你先给我舀水去罢。』紫鹃道：『他是客，自然先倒了茶来再舀水去。』说着，倒茶去了。宝玉笑道：『好丫头，「若共你多情小姐同鸳帐，怎舍得叫你叠被铺床？」』黛玉登时撂下脸来说道：『二哥哥你说什么？』宝玉笑道：『我何尝说什么？』黛玉便哭道：『如今新兴的，外头听了村话来，也说给我听；看了混账书，也拿我取笑儿。我成了替爷们解闷儿的。』（这不是，腻烦出口角来了，反倒不腻烦了。黛玉生活在某种阴影下面，她视爱情为唯一的生命寄托，无法接受宝玉的非郑重表示。黛玉没有条件具有宝玉的那种幽默感。有福气的人才幽默呀。）一面哭，一面下床来，往外就走。宝玉不知要怎样，心下慌了，忙赶上来说：『好妹妹，我一时该死，你别告诉去！我再敢说这样话，嘴上就长个疔，烂了舌头。』（又腻烦出一个『焦雷』来。生活中本不可能老是哥呀妹呀的。）

正说着，只见袭人走来，说道：『快回去穿衣服，老爷叫你呢。』宝玉听了，不觉打了个焦雷一般，也顾不得别的，疾忙回来穿衣服。出园来，只见焙茗在二门前等着。宝玉问道：『你可知道叫我是为什么？』焙茗道：『爷快出来罢，横竖是见去的，到那里就知道了。』一面说，一面催着宝玉。

转过大厅，宝玉心里还自狐疑，只听墙角边一阵呵呵大笑，回头见薛蟠拍着手跳了出来，笑道：『要不说姨父叫你，你那里肯出来的这么快！』（这也是假做真时，真亦假。有此一假，预兆了下次挨打时贾政叫宝玉的『焦雷』之真。人生中许多事确带有预演性质。）焙茗也笑着跪下了。宝玉怔了半天，方解过来，是薛蟠哄出他来。薛蟠连忙打恭作揖赔不是，又求：『不要难为了小子，都是我央他去的。』宝玉也无法了，只好笑问道：『你哄我也罢了，怎么说我父亲呢？我告诉姨娘去，评评这个理，可使得么？』薛蟠忙道：『好兄弟，我原为求你快些出来，就忘了忌讳这句话，改日你要哄我，也说我父亲，就完了。』（薛蟠此话浑得可爱。）宝玉道：『嗳哟，越发的该死了。』又向焙茗道：『反叛肏的，还跪着做什么？』（荤话一骂，也就可以大赦了。也是罚了不打，打了不罚之类。国人自有其马马虎虎处。）焙茗连忙叩头起来。薛蟠道：『要不是，我也不敢惊动，只因明儿五月初三日，是我的生日，谁知古董行的程日兴，他不知那里寻了来的这么粗、这么长、粉脆的鲜藕，这么大的西瓜，这么长、这么大的暹罗国进贡的灵柏香熏的暹罗猪、鱼。（又是暹罗国的。）你说这四样礼物，可难得不难得？那鱼、猪不过贵而难得，这藕和瓜亏他怎么种出来的。我连忙孝敬了母亲，赶着给你们老太太、姨母送了些去。如今留了些，我要自己吃，恐怕折福，左思右想，除我之外，惟你还配吃，所以特请你来。可巧唱曲儿的一个小子又来了，我同你乐一日何如？』（薛蟠，年轻主子中的另一种类型，带来另一种世界。）

一面说，一面来至他书房里，只见詹光、程日兴、胡斯来、单聘仁等并唱曲儿的都在这里。见他进来，请安的，问好的，都彼此见过了。吃了茶，薛蟠即命人：『摆酒来。』说犹未了，众小厮七手八脚摆了半天，方才停当归坐。宝玉果见瓜藕新异，因笑道：『我的寿礼还未送来，倒先扰了。』薛蟠道：『可是呢，你明儿来拜寿，打算送什么新鲜礼物？』宝玉道：『我没有什么送的。若论银钱穿吃等类的东西，究竟还不是我的；惟有写一张字，或画一张画，这算是我的。』薛蟠笑道：『你提画儿，我才想起来了。昨儿我看见人家一本春宫儿，画的着实好，上头还有许多的字。我也没细看，只看落的款，原来是什么「庚黄」的。真好的了不得！』宝玉听说，心下猜疑道：

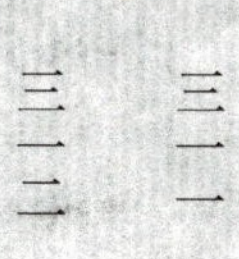

『古今字画也都见过些，那里有个「庚黄」？』想了半天，不觉笑将起来，命人取过笔来，在手心里写了两个字，又向薛蟠道：『你看真了是「庚黄」么？』薛蟠道：『怎么看不真？』宝玉将手一撒与他看道：『可是这两个字罢？其实与「庚黄」相去不远。』众人都看时，原来是『唐寅』两个字，都笑道：『想必是这两字，大爷一时眼花了，也未可知。』（汉字读或不读白字，是重要的幽默之一种，也是读书人自以为可以吹吹骄傲一下的一种。）薛蟠自觉没意思，笑道：『谁知他是「糖银」是「果银」的。』

正说着，小厮来回：『冯大爷来了。』宝玉便知是神武将军冯唐之子冯紫英来了。（《红》中像冯紫英这样的人物不多，给人印象也不深。）薛蟠等一齐都叫『快请』。说犹未了，只见冯紫英一路说笑，已进来了，众人忙起席让坐。冯紫英笑道：『好呀！也不出门了，在家里高乐罢。』宝玉薛蟠都笑道：『一向少会。老世伯身上康健？』紫英答道：『家父倒也托庇康健，近来家母偶着了些风寒，不好了两天。』

薛蟠见他面上有些青伤，便笑道：『这脸上，又和谁挥拳来？挂了幌子了！』冯紫英笑道：『从那一遭把仇都尉的儿子打伤了，我记了，再不怄气，如何又挥拳？这脸上是前日打围，在铁网山叫兔鹘梢了一翅膀。』（『打围』云云，冯紫英的生活方式倒显得比宝玉开阔些，男子汉些。）宝玉道：『几时的话？』紫英道：『三月二十八日去的，前儿也就回来了。』宝玉道：『怪道前儿初三四儿我在沈世兄家赴席不见你呢。我要问，不知怎么忘了。单你去了，还是老世伯也去了？』紫英道：『可不是家父去，我没法儿，去罢了。难道我闲疯了？咱们几个人吃酒听唱的不乐，寻那个苦恼去？这一次大不幸之中却有大幸。』

薛蟠众人见他吃完了茶，都说道：『且入席，有话慢慢的说。』冯紫英听说，便立起身来说道：『论理，我该陪饮几杯才是，只是今儿有一件大大要紧事，回去还要见家父面回，实不敢领。』薛蟠宝玉众人那里肯依，死拉着不放。冯紫英笑道：『这又奇了。你我这些年，那一回有这个道理的？果然不能遵命。若必定叫我领，拿大杯来，我领两杯就是了。』众人听说，只得罢了，薛蟠执壶，宝玉把盏，斟了两大海。那冯紫英站着，一气而尽。宝玉道：『你到底把这个「不幸之幸」说完了再走。』冯紫英笑道：『今儿说的也不尽兴，我为这个，还要特治一个东儿，请你们去细谈一谈；二则还有奉恳之处。』说着撒手就走。薛蟠道：『越发说的人热剌剌的丢不下。多早晚才请我们？告诉了也免的人犹豫。』冯紫英道：『多则十日，少则八天。』一面说，一面出门上马去了。众人回来，依席又饮了一回方散。宝玉回至园中，袭人正记挂着他去见贾政，不知是祸是福，只见宝玉醉醺醺回来，因问其原故，宝玉一一向他说了，袭人道：『人家牵肠挂肚的等着，你且高乐去，也到底打发个人来给个信儿。』宝玉道：『我何尝不要送信儿，因冯世兄来了，就混忘了。』

正说着，只见宝钗走进来，笑道：『偏了我们新鲜东西了！』宝玉笑道：『姐姐家的东西，自然先偏了我们了。』宝钗摇头笑道：『昨儿哥哥倒特特的请我吃，我不吃，我叫他留着送与别人罢。我知道我的命小福薄，不配吃那个。』（宝钗的自我约束机制特别发达。）说着，丫鬟倒了茶来，吃茶说闲话儿，不在话下。

却说那黛玉听见贾政叫了宝玉去了一日不回来，心中也替他忧虑。（回过头来再写黛玉。分忧。）至晚饭后，闻得宝玉来了，心里要找他问问是怎么样了。一步步行来，见宝钗进宝玉的园内去了，自己也随后走了来。刚到了

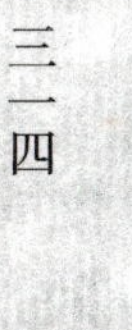

沁芳桥，只见各色水禽尽都在池中浴水，也认不出名色来，但见一个个文彩闪灼，好看异常，因而站住，看了一回。再往怡红院来，门已关了，黛玉即便叩门。

谁知晴雯和碧痕二人正拌了嘴，没好气，忽见宝钗来了，那晴雯正把气移在宝钗身上，（晴雯把气移到宝钗身上，却伤害了黛玉，是偶然的失误吗？）正在院内抱怨说：『有事没事，跑了来坐着，叫我们三更半夜的不得睡觉。』忽听又有人叫门，晴雯越发动了气，也并不问是谁，便说道：『都睡下了，明儿再来罢！』

黛玉素知丫头们的情性，他们彼此玩耍惯了，恐怕院内的丫头没听见是他的声音，只当别的丫头们了，所以不开门，因而又高声说道：『是我，还不开门么？』晴雯偏生还没听见，便使性子说道：『凭你是谁，二爷吩咐的，一概不许放人进来呢！』（偏生没听见，才有这感人的一段。所谓阴差阳错。错归错，却也不纯是偶然。）黛玉听了，不觉气怔在门外，待要高声问他，逗起气来，自己又回思一番：『虽说是舅母家如同自己家一样，到底是客边。如今父母双亡，无依无靠，现在他家依栖，如今认真怄气，也觉没趣。』（果然联系到了自己寄人篱下的处境。）一面想，一面又滚下泪珠来了。真是回去不是，站着不是。正没主意，只听里面一阵笑语之声，细听一听，竟是宝玉宝钗二人。黛玉心中越发动了气，左思右想，忽然想起早起的事来：『必竟是宝玉恼我告他的原故。但只我何尝告你去了，你也不打听打听，就恼我到这步田地！你今儿不叫我进来，难道明儿就不见面了！』（也是预兆，预演。假的玉、钗联手拒黛，最终变成真的金玉良缘否定了木石前盟。）越想越觉伤感起来，也不顾苍苔露冷，花径风寒，独立墙角边花阴之下，悲悲切切，呜咽起来。

原来这黛玉秉绝代姿容，具稀世俊美，不期这一哭，那附近柳枝花朵上宿鸟栖鸦，一闻此声，俱『忒楞楞』飞起远避，不忍再听。（浪漫的一哭，何等感人！感情+灵气，能不浪漫？）正是：

花魂点点无情绪，鸟梦痴痴何处惊。

因有一首诗道：

颦儿才貌世应稀，独抱幽芳出绣闺；

呜咽一声犹未了，落花满地鸟惊飞。（用形式规范的诗一写，反倒使感情也规范化，不那么泛滥了。）

那林黛玉正自啼哭，忽听『吱喽』一声，院门开处，不知是那一个出来。要知端的，下回分解。

写黛玉之悲，不渲染，不铺排，不用力，不带样，不过轻描淡写，寥寥几笔而情境全出，连形容词副词也没用几个。岂不令吾辈愧死！

黛玉被关在门外，而门内宝玉与宝钗欢声笑语，这是生活，也是象征、预兆。生活的本质，矛盾的本质，总是要多次外化、多次表现出来的，最初有所表现的时候很可能不过是偶然、误会、小事一段。而后，玩笑成为真实，偶然成为必然，误会成为真正的不两立，小事成为大事。预兆只能逆推，过程终结了，才体会到当初的预兆或谶语，开始时谁想得到辨得出预兆呢？辨出预兆又能怎么样？人对于自己的命运，究竟有多大的自主的可能呢？此是大悲哀也。

地火在岩下运行，这似乎是说政治上的反抗，但也适宜于说爱情，说上进，说生活，为什么把爱情、上进、生活硬是压迫成了岩下运行的危险的地火了呢？压到一定的火候，不就会出现唐山式或汶川式大地震了吗？

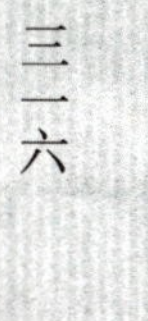

第二十七回 滴翠亭杨妃戏彩蝶 埋香冢飞燕泣残红

话说黛玉正自悲泣，忽听院门响处，只见宝钗出来了，宝玉袭人一群人送了出来。待要上去问着宝玉，又恐当着众人问羞了宝玉不便，因而闪过一旁，让宝钗去了，宝玉等进去关了门，方转过来，尚望着门洒了几点泪。自觉无味，（『无味』最苦，二字胜过许多夸张性的词字。）转身回来，无精打彩的卸了残妆。

紫鹃雪雁素日知道黛玉的情性：无事闷坐，不是愁眉，便是长叹，且好端端的，不知为了什么，常常的便自泪不干的。（苦得太深了，就不知为什么了。正如生病，受凉感冒，过食泻肚，病因好找。真得了癌，医生就解释不了了。）先时还有人解劝，或怕他思父母，想家乡，受委屈，用话来宽慰解劝。谁知后来一年一月的，竟是常常如此，把这个样儿看惯了，也都不理论了。所以也没人去理，由他闷坐，只管睡觉去了。那林黛玉倚着床栏杆，两手抱着膝，眼睛含着泪，好似木雕泥塑的一般，直坐到二更多天，方才睡了。（中国传统小说很少写这种人物姿势造型——以外观造型传达人的内心世界。内心是看不到的，所以，写外也是写内。）一宿无话。

至次日乃是四月二十六日，原来这日未时交芒种节。尚古风俗：凡交芒种节的这日，都要设摆各色礼物，祭饯花神，言芒种一过，便是夏日了，众花皆卸，花神退位，须要饯行。（农历的二十四个节气，个个富有内涵，不仅是地球公转位置的标示。黛玉葬花的民俗依据。）闺中更兴这件风俗，所以大观园中之人，都早起来了。那些女孩子们，或用花瓣柳枝编成轿马的，或用绫锦纱罗叠成干旄旌幢的，都用彩线系了。每一棵树，每一枝花上，都系了这些物事。满园里绣带飘飘，花枝招展，更兼这些人打扮的桃羞杏让，燕妒莺惭，一时也道不尽。（多美的风俗！）

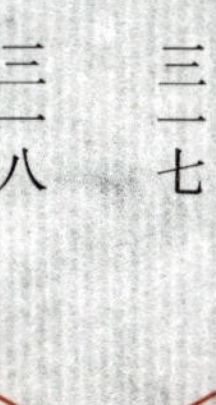

且说宝钗、迎春、探春、惜春、李纨、凤姐等并大姐儿、香菱与众丫鬟们，都在园里玩耍，独不见林黛玉，迎春因说道：『林妹妹怎么不见？好个懒丫头！这会子还睡觉不成？』宝钗道：『你们等着，等我去闹了他来。』说着，便丢了众人，一直往潇湘馆来。正走着，只见文官等十二个女孩子也来了，上来问了好，说了一回闲话。宝钗回身指道：『他们都在那里呢，你们找他们去，我找林姑娘去，就来。』说着，逶迤往潇湘馆来。（少女的世界。）忽然抬头见宝玉进去了，宝钗便站住，低头想了一想：『宝玉和林黛玉是从小儿一处长大，他兄妹间多有不避嫌疑之处，嘲笑不忌，喜怒无常；况且黛玉素昔猜忌，好弄小性儿的，此刻自己也跟了进去，一则宝玉不便，二则黛玉嫌疑，倒是回来的妙。』（宝钗想的极是，如果不想，就更可爱。如果想，就更合适，人——少女，要可爱，也要举措得宜——合适。）想毕，抽身回来。

刚要寻别的姊妹去，忽见面前一双玉色蝴蝶，大如团扇，一上一下，迎风翩跹，十分有趣。宝钗意欲扑了来玩耍，遂向袖中取出扇子来，向草地下来扑。只见那一双蝴蝶，忽起忽落，来来往往，将欲过河去了。（生活中毕竟还有美好，还有趣味，还有玩乐，还有青春。）倒引的宝钗蹑手蹑脚的，一直跟到池边滴翠亭上，香汗淋漓，娇喘细细。宝钗也无心扑了，刚欲回来，只听那亭里边嘁嘁喳喳有人说话。原来这亭子四面俱是游廊曲栏，盖在池中水上，四面雕镂槅子，糊着纸。

宝钗在亭外听见说话，便煞住脚，往里细听，只听说道：『你瞧这手帕子果然是你丢的那块，你就拿着；要不是，就还芸二爷去。』又有一人说话：『可不是我那块！拿来给我罢。』又听道：『你拿什么谢我呢？难道白找了来不成？』又答道：『我已经许了谢你，自然是不哄你的。』又听说道：『我找了来给你，自然谢我；但只是那拣的人，你就不谢他么？』那一个又说道：『你别胡说。他是个爷们家，拣了我们的东西，自然该还的。叫我拿什么谢他呢？』又听说道：『你不谢他，我怎么回他呢？况且他再三再四的和我说了，若没谢的，不许我给你呢。』半晌，又听说道：『也罢，拿我这个给他，算谢他的罢。你要告诉别人呢？须说一个誓。』又听说道：『我要告诉人，嘴上就长一个疔，日后不得好死！』又听说道：『嗳呀！咱们只顾说话，看有人来悄悄的在外头听见。不如把这槅子都推开了，便是人见咱们在这里，他们只当我们说玩话呢。走到跟前，咱们也看的见，就别说了。』（到处有阴谋。到处有压迫。到处有眼。）

宝钗外面听见这话，心中吃惊，想道：『怪道从古至今那些奸淫狗盗的人，心机都不错。（从一个帕子上得出『奸淫狗盗』的结论。说别人心机如何如何的人，自己的心机又如何呢？）这一开了，见我在这里，他们岂不臊了？况且说话的语音，大似宝玉房里红儿的言语。他素昔眼空心大，是个头等刁钻古怪东西，（你怎么会了解红儿？宝玉才刚接触，知其存在的。也是唯女子与小人难养的意思。）今儿我听了他的短儿，『人急造反，狗急跳墙』，不但生事，而且我还没趣。如今便赶着躲了，料也躲不及，少不得要使个『金蝉脱壳』的法子。』（不使自己陷入无谓的矛盾中，这是应该的。）犹未想完，只听『咯吱』一声，宝钗便故意放重了脚步，笑着叫道：『颦儿！我看你往那里藏！』一面说，一面故意往前赶。

宝钗的金蝉脱壳，为历来评者所诟病。或曰，宝钗故意陷害黛玉。不完全像。天衣无缝，是很难做到的。天衣少缝，像宝钗这样处事，也不易了。

那亭内的小红坠儿刚一推窗，只听宝钗如此说着往前赶，两个人都唬怔了。宝钗反向他二人笑道：『你们把林姑娘藏在那里了？』坠儿道：『何曾见林姑娘了？』宝钗道：『我才在河那边看着林姑娘在这里蹲着弄水儿呢。我要悄悄的唬他一跳，还没有走到跟前，他倒看见我了，朝东一绕，就不见了。别是藏在里头了？』一面说，一面故意进去，寻了一寻，抽身就走，口内说道：『一定又钻在山子洞里去了。遇见蛇，咬一口也罢了。』（话多了一点，容易露假。如果宝钗高明，不必说如许多的。）一面说，一面走，心中又好笑：『这件事算遮过去了，不知他二人是怎样？』

谁知小红听了宝钗的话，便信以为真，让宝钗去远，便拉坠儿道：『了不得了！林姑娘蹲在这里，一定听了话去了！』坠儿听了，也半日不言语。小红又道：『这可怎么样呢？』坠儿道：『便听见了，管谁筋疼，各人干各人的就完了。』（坠儿此语，实是金玉良言。）小红道：『若是宝姑娘听见还倒罢了；林姑娘嘴里又爱刻薄人，心里又细，他一听见了，倘或走露了，怎么样呢？』

二人正说着，只见文官、香菱、司棋、侍书等上亭子来了。二人只得掩住这话，且和他们玩笑。（玩笑中掩盖着什么？）只见凤姐儿站在山坡上招手叫，小红连忙弃了众人，跑至凤姐前，堆着笑问：『奶奶使唤做什么事？』凤姐打量了一回，见他生的干净俏丽，说话知趣，因笑道：『我的丫头们今儿没跟进我来。我这会子想起一件事来，要使唤个人出去，不知你能干不能干？说的齐全不齐全？』小红笑道：『奶奶有什么话，只管吩咐我说去，若说的不齐全，误了奶奶的事，任凭奶奶责罚就是了。』（天生我材必有用。充满自信。）凤姐笑道：『你是那位姑娘房里的？我使你出去，他回来找你，我好替你说。』小红道：『我是宝二爷房里的。』凤姐听了笑道：『嗳哟！你原

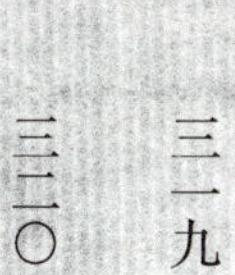

来是宝玉房里的，怪道呢。也罢了，等他问，我替你说。你到我们家告诉你平姐姐，外头屋里桌子上汝窑盘子架儿底下放着一卷银子，那是一百二十两，给绣匠的工价，等张材家的来，当面秤给他瞧了，再给他拿去。再里头床头儿上有个小荷包，拿了来。』（小红的机遇来了。）

小红听说，答应着，撤身去了。不多时回来了，只见凤姐不在这山坡上了，因见司棋从山洞里出来，站着系带子，便赶来问道：『姐姐，不知道二奶奶往那里去了？』司棋道：『没理论。』（司棋也不友好。）小红听了，回身又往四下里一看，只见那边探春宝钗在池边看鱼，小红上来陪笑道：『姑娘们可知道二奶奶刚才那里去了？』探春道：『往你大奶奶院里找去。』

小红听了，再往稻香村来，顶头只见晴雯、绮霞、碧痕、秋纹、麝月、侍书、入画、莺儿等一群人来了。晴雯一见小红，便说道：『你只是疯罢！院子里花儿也不浇，雀儿也不喂，茶炉子也不弄，就在外头逛。』小红道：『昨儿二爷说了，今儿不用浇花，过一日浇一回罢。我喂雀儿的时候，姐姐还睡觉呢。』碧痕道：『茶炉子呢？』小红道：『今儿不该我的班儿，有茶没茶，休问我。』绮霞道：『你听听他的嘴！你们别说了，让他逛罢。』小红道：『你们再问问，我逛了没逛？二奶奶才使唤我说话取东西去的。』（底气足了些。读这一段而笑小红者，不觉得自己亦可笑吗？世间有多少须眉小红，混得不如小红呢。如果——例如——贾瑞有小红的机遇！）说着，将荷包举给他们看，方没言语了。大家走开。晴雯冷笑道：『怪道呢！原来爬上高枝儿去了，把我们不放在眼里了。不知说了一句话半句话，名儿姓儿知道了不曾，就把他兴头的这个样！这一遭儿半遭儿的算不得什么，过了后儿，还得听呵！有本事从今儿出

了这园子，长长远远的在高枝儿上才算得。』（晴雯此话本对，而且说得痛快。但与小红比，晴雯是已经爬上高枝的既得利益者，嘲弄正在爬的小红，未免太不厚道了。）一面说着去了。

这里小红听说，不便分证，只得忍着气来找凤姐儿。到了李氏房中，果见凤姐在这里和李氏说话儿呢。小红上来回道：『平姐姐说，奶奶刚出来了，他就把银子收起来了；才张材家的来取，当面秤了给他拿去了。』说着，将荷包递了上去，又道：『平姐姐叫我来回奶奶：才旺儿进来讨奶奶的示下，好往那家子去的，平姐姐就把那话按着奶奶的主意打发他去了。』凤姐笑道：『他怎么按着我的主意打发去了？』小红道：『平姐姐说：「我们奶奶问这里奶奶好。原是我们二爷不在家，虽然迟了两天，只管请奶奶放心。等五奶奶好些，我们奶奶还会了五奶奶来瞧奶奶呢。五奶奶前儿打发了人来说：舅奶奶带了信来了，问奶奶好，还要和这里的姑奶奶寻两丸延年神验万金丹；若有了，奶奶打发人来，只管送在我们奶奶这里。明儿有人去，就顺路给那边舅奶奶带去的。」』（其实提名字就没有这些绕口令。诸多避讳，便变成了对于口才的挑战与训练。）

话未说完，李氏道：『嗳哟哟！这话我就不懂了，什么「奶奶」「爷爷」（按：并无爷爷。）的一大堆。』凤姐笑道：『怨不得你不懂，这是四五门子的话呢。』说着，又向小红笑道：『好孩子，难为你说的齐全，不像他们扭扭捏捏蚊子似的。嫂子不知道，如今除了我随手使的这几个丫头老婆子之外，我就怕和别人说话。他们必定把一句话拉长了，作两三截儿，咬文嚼字，拿着腔儿，哼哼唧唧的，急的我冒火，他们那里知道！先是我们平儿也是这么着，我就问着他：难道必定妆蚊子哼哼就是美人了？说了几遭，才好些了。』（凤姐此话颇有趣。她管事，注意条理和效率，

形成了所谓「急脾气」。凤姐此话可以作为对文风——语风的意见来领会。这话说得很解放。）李宫裁笑道：『都像你泼辣货才好！』凤姐道：『这一个丫头就好。方才这两遭说话虽不多，听那口角就很剪断。』说着，又向小红笑道：『明儿你伏侍我去罢，我认你做女儿。我一调理，你就出息了。』

语言的明快与条理，往往反映了思维的明快与条理。凤姐以此取人，良有以也。对这种「装蚊子哼哼」的习尚也批得痛快。当然，仅考虑到这一面，亦有皮相处。与话也说不清楚的人打交道，确实是人生一『怕』。

小红听了，『扑哧』一笑。凤姐道：『你怎么笑？你说我年轻，比你能大几岁，就做你的妈了？你做春梦呢！你打听打听，这些人比你大的赶着我叫妈，我还不理他呢！今儿抬举了你了。』（当然。）小红笑道：『我不是笑这个，我笑奶奶认错了辈数儿了，我妈是奶奶的女儿，这会子又认我做女儿！』凤姐道：『谁是你妈？』李宫裁笑道：『你原来不认的他？他是林之孝的女儿。』（这也是网状结构，从小红身上又引出林之孝夫妇来。）凤姐听了，十分诧异，因说道：『哦！是他的丫头！』又笑道：『林之孝两口子，都是锥子扎不出一声儿来的。我成日家说，他们倒是配就了的一对夫妻：一个天聋，一个地哑。那里承望养出这么个伶俐丫头来！（和此后对林之孝家的描写不合。这么一对比，小红及其父母给人的印象更深了。）你十几岁了？』小红道：『十七岁了。』又问名字，小红道：『原叫「红玉」，因为重了宝二爷，如今只叫红儿了。』

凤姐听说，将眉一皱，把头一回，说道：『讨人嫌的很！得了「玉」的便宜似的，你也「玉」，我也「玉」。』（或谓有贬黛意，难说。凤姐此情此景此处贬黛难以说通。作者有意逐渐透露出黛的行市见「落」的信息，则完全可能。何者是人物的，何者是作

者的，你永远说不十分清楚。以为人物可以当作者的传声筒，是三流作家的观念。以为人物百分之百地『不依作者意志为转移』，是二流论者的见解。）因说：『嫂子不知道，我和他妈说：「赖大家的如今事多，也不知这府里谁是谁，你替我好好的挑两个丫头我使。」他一般的答应着；他饶不挑，倒把他这女孩子送了别处去。难道跟我必定不好？』李纨笑道：『你可是又多心了。进来在先，你说在后，怎么怨的他妈？』凤姐说道：『你这么着，明儿我和宝玉说，叫他再要人，叫这丫头跟我去。可不知本人愿意不愿意？』小红笑道：『愿意不愿意，我们也不敢说。只是跟奶奶，我们学些眉眼高低，出入上下，大小的事儿，也得见识见识。』（答得得体。本来，小红是无权讲愿不愿意的，她只能服从主子，怎可有自己的意志？）刚说着，只见王夫人的丫头来请，凤姐便辞了李宫裁去了。小红自回怡红院去，不在话下。

如今且说林黛玉因夜间失寐，次日起来迟了，闻得众姊妹都在园中做饯花会，恐人笑他痴懒，连忙梳洗了出来。刚到了院中，只见宝玉进门来了便笑道：『好妹妹，你昨儿可告了我了不曾？我悬了一夜心。』黛玉便回头叫紫鹃道：『把屋子收拾了，下一扇纱屉；看那大燕子回来，把帘子放了下来，拿狮子倚住；烧了香，就把炉罩上。』（亦不忘安排内务，并非绝对地不食烟火。只是纱屉、燕子、帘子、狮子、香、炉罩，意趣与方才凤姐吩咐小红亦及小红来回的汝窑盘子架儿底下的银子床头上的荷包以及延年神验万金丹……完全不同。）一面说，一面又往外走。宝玉见他这样，还认作是昨日晌午的事，那知晚间的这件公案，还打恭作揖的。林黛玉正眼也不看，各自出了院门，一直找别的姊妹去了。宝玉心中纳闷，自己猜疑：『看这样光景，不像是为昨儿的事。但只昨日我回来得晚了，又没有见他，再没有冲撞他的去处了。』一面想，一面由不得随后追了来。（可怜宝玉。你最多弄清一件事，却弄不清基本的深层问题。）

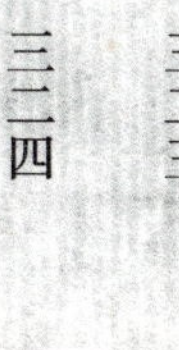

只见宝钗探春，正在那边看鹤舞，（园中猎鹿，园中看鹤舞，什么气派！园中猎鹿，园中鹤舞，不免矫情，本应是『原上』看的呦！）见黛玉来了，三个一同站着说话儿。又见宝玉来了，探春便笑道：『宝哥哥，身上好？我整整的三天没见你了。』宝玉笑道：『妹妹身上好？我前儿还在大嫂子跟前问你呢。』探春道：『宝哥哥，你往这里来，我和你说话。』宝玉听说，便跟了他，离了钗玉两个，到了一棵石榴树下。

探春因说道：『这几天，老爷可曾叫你？』（『老爷叫』的阴影无处不在。）宝玉笑道：『没有叫。』探春道：『昨儿我恍惚听见说，老爷叫你出去的。』宝玉笑道：『那想是别人听错了，并没叫的。』探春又笑道：『这几个月，我又攒下有十来吊钱了。你还拿了去，明儿出门逛去的时候，或是好字画，好轻巧玩意儿，替我带些来。』宝玉道：『我这么逛去，城里城外大廊大庙的逛，也没见个新奇精致东西，总不过是那些金、玉、铜、磁器，没处撂的古董；再就是绸缎、吃食、衣服了。』探春道：『谁要这些。怎么像你上回买的那柳枝儿编的小篮子，真竹子根儿挖的香盒儿，胶泥垛的风炉儿，这就好了。我喜欢的什么似的，谁知他们都爱上了，都当宝贝似的抢了去了。』（探春的趣味不俗。探春与宝玉十分亲，与贾环成为鲜明对比。）宝玉笑道：『原来要这个。这不值什么，拿几百钱出去给小子们，管拉两车来。』探春道：『小厮们知道什么？你拣那朴而不俗质而不拙的这些东西，你多多替我带了来，（朴而不俗，质而不拙，这是很好的审美理想。）我还像上回的鞋做一双你穿，比那双还加工夫，如何呢？』宝玉笑道：『你提起鞋来，我想起故事来了：一回穿着，可巧遇见了老爷，老爷就不受用，问：「是谁做的？」我那里敢提三妹妹三个字？我就回说，是前儿我生日舅母给的。老爷听了是舅母给的，才不好说什么的。半日还说：「何苦来！虚耗人力，作践绫罗，做这样的东西。」我回来告诉了袭人，袭人说：「这还罢了，赵姨娘气的抱怨的了不得：正经兄弟，鞋塌拉袜塌拉的，没人看得见，且做这些东西！」』（写探春的生活琐事与她和宝玉的兄妹之情，所用笔墨极少，这一段值得注意。）

探春听说，登时沉下脸来道：（登时沉下脸，可见碰到了不能碰的原则问题。）『你说，这话糊涂到什么田地！怎么我是该做鞋的人么？环儿难道没有分例的？衣裳是衣裳，鞋袜是鞋袜，丫头老婆一屋子，怎么抱怨这些话，给谁听呢！我不过闲着没事作一双半双，爱给那个哥哥兄弟，随我的心。谁敢管我不成！这也是他瞎气。』（生活，生活，香盒儿、风炉儿，最后还是绕不开主奴、嫡庶的麻烦。）宝玉听了，点头笑道：『你不知道，他心里自然又有个想头了。』

探春听说，一发动了气，将头一扭，说道：『连你也糊涂了！他那想头，自然是有的，不过是那阴微鄙贱的见识。（阴微鄙贱？如此说来，探春的见识则是光明正大了。）他只管这么想，我只管认得老爷太太两个人，别人我一概不管。就是姊妹弟兄跟前，谁和我好，我就和谁好，什么偏的，庶的，我也不知道。（因为是亲生母亲，更要划清界线。这也是亲不亲，阶级分。）论理，我不该说他，但他忒昏愦得不像了！还有笑话儿呢：就是上回我给你那钱，替我带那玩耍的东西，过了两天，他见了我，也是说没钱，便怎么难处，我也不理论。谁知后来丫头们出去了，他就抱怨起我来，说我攒的钱，为什么给你使，倒不给环儿使了。我听见这话，又好笑，又好气。我就出来往太太跟前去了。』（探春与赵、环划清界线，本是可以理解的。直接联系到当事人宝玉，有些俗得有损探春自己的形象。即使事实如此，亦应回避这种交流。不宜把赵、环与亲宝玉放在一起叙说。）

这一段堪称是探春的人生定向定性宣言。或谓，她这是正气凛然，界线分明。或谓，这是人性扭曲，令人毛骨悚然。

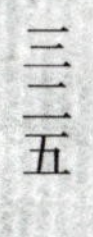

正说着，只见宝钗那边笑道：『说完了，来罢。显见得是哥哥妹妹了，丢下别人，且说体己去。我们听一句儿就使不得了？』说着，探春宝玉二人方笑着来了。宝玉因不见了林黛玉，便知他躲了别处去了。想了一想：『索性迟两日，等他的气息一息再去也罢了。』因低头看去，许多凤仙石榴等各色落花，锦重重的落了一地，（故意引到花上来。）因叹道：『这是他心里生了气，也不收拾这花儿来了。等我送了去，明儿再问着他。』说着，只见宝钗约着他们往外头去。宝玉道：『我就来。』等他二人去远，把那花儿兜了起来，登山渡水，过树穿花，一直奔了那日同林黛玉葬桃花的去处来。

将已到了花冢，犹未转过山坡，只听山坡那边有呜咽之声，一面数落着，哭的好不伤心。宝玉心下想道：『这不知是那房里的丫头，受了委屈，跑到这个地方来哭。』一面想，一面煞住脚步，听他哭道是：

花谢花飞飞满天，红消香断有谁怜？（孤独。）

游丝软系飘春榭，落絮轻沾扑绣帘。（软弱飘泊的做客。）

闺中女儿惜春暮，愁绪满怀无释处；（迟暮。）

手把花锄出绣帘，忍踏落花来复去。（不忍。）

柳丝榆荚自芳菲，不管桃飘与李飞；（意难平。）

桃李明年能再发，明年闺中知有谁？（瞬间。无定。）

三月香巢已垒成，梁间燕子太无情！（怨。）

明年花发虽可啄，却不道人去梁空巢已倾。（危机。）
一年三百六十日，风刀霜剑严相逼；（与环境不相容。）
明媚鲜妍能几时，一朝飘泊难寻觅。（匆迫。）
花开易见落难寻，阶前闷杀葬花人；（窒息。）
独把花锄泪暗洒，洒上空枝见血痕。（刻骨之痛。）
杜鹃无语正黄昏，荷锄归去掩重门；（掩重门很有封闭的象征意味。）
青灯照壁人初睡，冷雨敲窗被未温。（冷清。）
怪侬底事倍伤神？半为怜春半恼春；（没有结果的怜爱与忧伤。）
怜春忽至恼忽去，至又无言去不闻。（无可奈何。）
昨宵庭外悲歌发，知是花魂与鸟魂？（物我同悲。）
花魂鸟魂总难留，鸟自无言花自羞；（在造物面前低垂下头。）
愿奴胁下生双翼，随花飞到天尽头。（想超脱。想到了死）
天尽头，何处有香丘？（——香丘。）
未若锦囊收艳骨，一抔净土掩风流。（否定生。）
质本洁来还洁去，强于污淖陷渠沟。（洁癖。）

尔今死去侬收葬，未卜侬身何日丧？（对生死的无知无力。）
侬今葬花人笑痴，他年葬侬知是谁？（痴。）
试看春残花渐落，便是红颜老死时。（死之意识遍处。）
一朝春尽红颜老，花落人亡两不知！（意识终于消亡。悲夫！）

在『红』诸诗中，葬花诗最为普及。悲哀，细腻，动人而又相当通俗。对人与物与时的吟咏完全融合在一道。不以林黛玉的名义，很难写这样的诗，写了也难流传，诗界是不能容忍这种『灰』与相对直白的诗体的，读者也不喜欢颓丧至此。小说家以小说人物的名义与心境推出自己的诗，的确是高招。内容并不新鲜，但体物抒情无所不至。生命的根本悲哀还是孤独与死亡，这首诗写了这永恒的题材。黛玉的人生（社会）处境与生命的基本困境是联在一起写的。此诗确实感人，一而再再而三地抒发了黛玉的悲哀。一味悲哀，一再渲染，当然也让人觉得黛玉未免钻牛角尖——叫做悲其一点，不及其余。对人生的理解，还是太窄太窄了啊！这样的诗，岂不成了锥子诗？只扎出了一个洞。

宝玉听了，不觉痴倒。要知端详，下回分解。

『红』中诸诗的普及，以此诗为最。而且它主宰了『红』的旋律。

第二十八回　蒋玉函情赠茜香罗　薛宝钗羞笼红麝串

话说林黛玉只因昨夜晴雯不开门一事，错疑在宝玉身上。次日又可巧遇见饯花之期，正在一腔无明，未曾发泄，又勾起伤春愁思，因把些残花落瓣去掩埋，由不得感花伤己，哭了几声，便随口念了几句。（「随口念」云云，不过于强调。也是一种力透纸背而又轻描淡写的写法，也是对人物既能入乎其内又能出乎其外的把握，乃至与「怨而不怒，哀而不伤」的传统有关。）不想宝玉在山坡上听见，先不过点头感叹；次又听到「依今葬花人笑痴，他年葬侬知是谁？……一朝春尽红颜老，花落人亡两不知」等句，不觉恸倒山坡上，怀里兜的落花撒了一地。试想林黛玉的花颜月貌，将来亦到无可寻觅之时，宁不心碎肠断！既黛玉终归无可寻觅之时，推之于他人，如宝钗、香菱、袭人等，亦可以到无可寻觅之时矣。宝钗等终归无可寻觅之时，则自己又安在哉？且自身尚不知何在何往，将来斯处、斯园、斯花、斯柳，又不知当属谁姓矣。因此一而二，二而三，反复推求了去，真不知此时此际，如何解释这段悲伤！（为宇宙、万物、人生一哭，也是「哀人生之须臾」，「前不见古人，后不见来者，念天地之悠悠，独怆然而涕下」。）正是：

花影不离身左右，鸟声只在耳东西。

那林黛玉正自伤感，忽听山坡上也有悲声，心下想道：「人人都笑我有痴病，难道还有一个痴子不成？」（情须痴。见知音就是见知痴。）抬头一看，见是宝玉，黛玉便啐道：「呸！我当是谁，原来是这个狠心短命的……」（关系已经不同。如不是对已经定情的人，是骂不出这种话的。）刚说到「短命」二字，又把口掩住，长叹一声，自己抽身便走了。

为生命的短促而悲伤，从这一个起点可以获得不同的启示。一、因短促而更加珍惜生命，追求事业。「人最宝贵的是生命……」——奥斯特洛夫斯基《钢铁是怎样炼成的》二、因而及时行乐。「秉烛夜游，良有以也。」——李白：《春夜宴桃李园序》三、放弃一切追求，或遁入空门，或和光同尘。以无视无，以求解脱。四、……而宝玉则只剩下了瞬时生命体验中的女孩子们对他的感情的慰藉。他实际上是停留于起点，停留于原始的悲伤，没有向前走一步。所以宝玉非僧非道非老非庄，他干脆什么都不是。

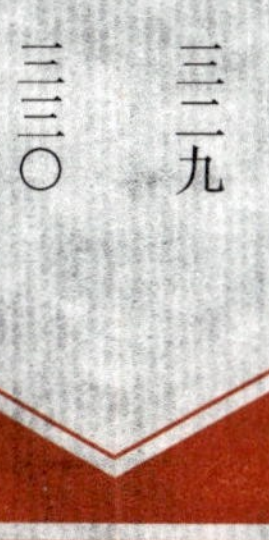

这里宝玉悲恸了一回，见黛玉去了，便知黛玉看见他，躲开了。自己也觉无味，抖抖土起来，下山寻归旧路，往怡红院来。可巧看见黛玉在前头走，连忙赶上去，（看描写，宝玉过了一会儿才起来，「可巧」看见黛玉。巧在黛玉等他。）说道：「你且站着。我知你不理我，我只说一句话，从今以后，撂开手。」林黛玉回头见是宝玉，待要不理他，听他说「只说一句话」，便道：「请说来。」宝玉笑道：「两句话，说了你听不听？」黛玉听说，回头就走。宝玉在身后面叹道：「既有今日，何必当初！」（仍是宠惯了的小少爷的腔调。）

黛玉听见这话，由不得站住，回头道：「当初怎么样？今日怎么样？」宝玉道：（有京剧对白味道。可见京剧也是来自生活的。）「嗳！当初姑娘来了，那不是我陪着玩笑？凭我心爱的，姑娘要，就拿去；我爱吃的，听见姑娘也爱吃，连忙收拾的干干净净收着，等了姑娘到来。一个桌子上吃饭，一个床儿上睡觉。丫头们想不到的，我怕姑娘生气，替丫头们都想到。我心里想着：姊妹们从小儿长大，亲也罢，热也罢，和气到了儿，才见得比别人好。如今谁承望姑娘人大心大，不把我放在眼睛里，倒把外四路儿的什么「宝姐姐」「凤姐姐」的放在心坎儿上，倒把我三日不理，四日不见的。我又没个亲兄弟、亲妹妹，虽然有两个，你难道不知道是我隔母的？我也和你是独出，只怕同我的心一样，谁知我是白操了这一番心，有冤无处诉！」（有话剧对白味道。即是说，这一段话很有戏剧性，搬上舞台，效果当佳。）说着，不觉滴下泪来。（说得挺委屈。为什么素日不见他这样「不幸」呢？为什么一说，果然可怜见呢？）

那时黛玉耳内听了这话，眼内见了这形景，心内不觉灰了大半，也不觉滴下泪来，低头不语。宝玉见这般形象，遂又说道：『我也知道，我如今不好了；但只任凭着我怎么不好，万不敢在妹妹跟前有错处。便有一二分错处，你或是教导我，戒我下次，或骂我几句，打我几下，我都不灰心。谁知你总不理我，叫我摸不着头脑，少魂失魄，不知怎么样才是。就是死了，也是个「屈死鬼」。任凭高僧高道忏悔，也不能超脱，还得你申明了原故，我才得托生呢！』（很有孩子气、稚气。但又想得深，说得重。真难过呀！非浮言枉语可比。）

黛玉听了这话，不觉将昨晚的事都忘在九霄云外了，便说道：『你既这么说，为什么我去了，你不叫丫头开门？』宝玉诧异道：『这话从那里说起？我要是这样，立刻就死了！』黛玉啐道：『大清早起「死」呀「活」的，也不忌讳。你说有呢就有，没有就没有，起什么誓呢！』宝玉道：『实在没有见你去，就是宝姐姐坐了一坐，就出来了。』（两人都诚，都真，都动了真情，即使无更深刻的内涵也动人起来。）

黛玉想了一想，笑道：『是了。必是你丫头们懒怠动，丧声歪气的，也是有的。』宝玉道：『想必是这个原故。等我回去问了是谁，教训教训他们就好了。』黛玉道：『你的那些姑娘们，也该教训教训，只是论理我不该说。今儿得罪了我的事小，倘或明儿「宝姑娘」来，什么「贝姑娘」来，也得罪了，事情岂不大了。』（何必轻易树敌？）说着，抿着嘴儿笑。宝玉听了，又是咬牙，又是笑。（笑了就好。宝玉咬牙，就更可爱可笑。）

『啊，青春，青春，你什么都不在乎，连忧愁也给你以安慰，连悲哀也对你有帮助……』见屠格涅夫《初恋》。事后回忆起宝黛少年时的这一切追求、试探、猜忌、误解、言归于好，是多么纯真，多么甜蜜！可惜，到以后，想再哭哭笑笑地痴闹一番，亦不可得矣。

二人正说话，见丫头来请吃饭，遂都往前头来了。王夫人见了黛玉，因问道：『大姑娘，你吃那鲍太医的药可好些？』黛玉道：『也不过这么着。老太太还叫我吃王大夫的药呢。』宝玉道：『太太不知道，林妹妹是内症，先天生的弱，所以禁不住一点儿风寒；不过吃两剂煎药，疏散了风寒，还是吃丸药的好。』王夫人道：『前儿大夫说了个丸药名字儿，我也忘了。』宝玉道：『我知道那些丸药，不过叫他吃什么人参养荣丸。』王夫人道：『不是。』宝玉又道：『八珍益母丸？左归、右归？再不就是八味地黄丸？』王夫人道：『都不是。我只记得有个「金刚」两个字的。』宝玉拍手笑道：『从来没听见有个什么「金刚丸」！若有了「金刚丸」，自然有「菩萨散」了。』（宝玉怎么知道这么多药和药理？吃的药多，知的药多，也是炫耀富贵吧？中药的药名都有心理治疗作用。）说的满屋里人都笑了。宝钗抿嘴笑道：『想是天王补心丹。』王夫人笑道：『是这个名儿。如今我也糊涂了。』宝玉道：『太太倒不糊涂，都是叫「金刚」「菩萨」支使糊涂了。』王夫人道：『扯你娘的臊！又欠你老子捶你了。』宝玉笑道：『我老子再不为这个捶我。』（宝玉因解开与黛玉的误会而过于兴奋了。对老子也挺放心了。但毕竟又现「老子捶」的阴影。）

王夫人又道：『既有这个名儿，明儿就叫人买些来吃。』宝玉道：『这些药都是不中用的。太太给我三百六十两银子，我替妹妹配一料丸药，包管一料不完就好了。』王夫人道：『放屁！（国骂。）什么药就这么贵？』宝玉笑道：『当真的呢。我这个方子比别的不同，那个药名儿也古怪，一时也说不清，只讲那头胎紫河车，人形带叶参，三百六十两不足龟，大何首乌，千年松根茯苓胆，诸如此类的药，不算为奇。（宝玉今天话如许多，不自觉地说起『相声』来了。——相声的起源是因高兴而饶舌吗？）只在群药里算那为君的药，说起来唬人一跳。前年薛大哥哥求了我一二年，我才给了他这方子。他拿了方子去，又寻了二三年，花了有上千的银子，才配成了。（封建贵族的贪婪、占有欲，不仅表现在财富、建筑、美食、美服、美女上，也表现在吃药上。似乎得天下之名贵药材而吃之是人生一大幸事。曹公这里写得这样铺张，不无摆阔之意。）太太不信，只问宝姐姐。』宝钗听说，笑着摇手儿说道：『我不知道，也没听见。你别叫姨娘问我。』王夫人笑道：『到底是宝丫头好孩子，不撒谎。』宝玉站在当地，听见如此说，一回身把手一拍，说道：『我说的倒是真话呢，倒说撒谎！』口里说着，忽一回身，只见林黛玉坐在宝钗身后，抿着嘴笑，用手指头在脸上画着羞他。

凤姐因在里间房里，看着人放桌子，听如此说，便走来笑道：『宝兄弟不是撒谎，这倒是有的。前日薛大爷亲自和我来寻珍珠，我问他：「做什么？」他说：「配药。」他还抱怨说：「不配也罢了，如今那里知道这么费事。」我问：「什么药？」他说是宝兄弟的方子，说了许多药，我也不记得。他又说：「不然，我也买几颗珍珠了，只是定要头上戴过的，所以来和妹妹寻。妹妹就没散的花儿，那上头拆下来的也使得。过后儿我拣好的再给妹妹穿了来。」我没法儿，把两枝珠花儿现拆了给他。还要一块三尺长、上用的大红纱，拿乳钵乳了面子呢。』（薛家殷富，吃起药来也要高人一等。头上珍珠缺失之事有了下落。）凤姐说一句，宝玉念一句佛，说：『太阳在屋子里呢！』凤姐说完了，宝玉又道：『太太想，这不过是将就呢。正经按方子，这珍珠宝石定要在古坟里的，有那古时富贵人家装裹的头面拿了来才好。（药学与迷信。联想到当代作家古华的小说《九十九堆礼俗》。）如今那里为这个去刨坟掘墓？所以只是活人带过的，也可以使得。』王夫人听了道：『阿弥陀佛！不当家花拉的，就是坟里有，人家死了几百年，这会子翻尸倒骨的，作了药也不灵！』

王蒙评点

宝玉大谈他的药方，还扯了薛蟠、凤姐，加上王夫人、钗、黛等重要人物的反应，这一大段除炫耀用药之富外还有无更深刻更具体的含义。也或有与家败之后药也吃不上的情状对比的意思。

宝玉因向黛玉说道：『你听见了没有？难道二姐姐也跟着我撒谎不成？』脸望着林黛玉说，却拿眼睛瞟着宝钗。（脸望眼瞟，有趣。）林黛玉便拉王夫人道：『舅母听听，宝姐姐不替他圆谎，他只问着我。』王夫人也道：『宝玉很会欺负你妹妹。』宝玉笑道：『太太不知道这个原故。宝姐姐先在家里住着，那薛大哥的事，他也不知道，（不知道薛大哥的事，为何却知道宝玉房东丫头们的事？）何况如今在里头住着呢？自然是越发不知道了。林妹妹才在背后，以为是我撒谎，就羞我。』

正说着，见贾母房里的丫头找宝玉和林黛玉去吃饭。林黛玉也不叫宝玉，便起身拉了那丫头走。那丫头说：『等着宝二爷一块儿走。』林黛玉道：『他不吃饭，不同咱们走，我先走了。』说着，便出去了。宝玉道：『我今儿还跟着太太吃罢。』王夫人道：『罢，罢！我今儿吃斋，你正经吃你的去罢。』宝玉道：『我也跟着吃斋。』说着，便叫那丫头：『去罢。』自己跑到桌子上坐了。王夫人向宝钗等笑道：『你们只管吃你们的，由他去罢。』（这一节王夫人也比较放松，没有端架子。可看出她与宝玉的母子之情。）宝钗因笑道：『你正经去罢。吃不吃，陪着林妹妹走一趟，他心里打紧的不自在呢。』宝玉道：『理他呢，过一会子就好了。』（『爱』也累人。方才赔不是、诉心曲未免太累了，不自觉地说出『理他呢』的话，也是发泄下意识里对黛玉的『小性』的不满。）

一时吃过饭，宝玉一则怕贾母记挂着，二则也记挂着林黛玉，忙忙的要茶漱口。探春惜春都笑道：『二哥哥，你成日家忙些什么？吃饭吃茶也是这么忙碌碌的。』宝钗笑道：『你叫他快吃了瞧黛玉妹妹去罢，叫他在这里胡闹些什么。』（宝钗想得开，看得开，说得开。几乎可以说是一种政治风度。）

宝玉吃了茶，便出来，一直往西院来，可巧走到凤姐儿院前，只见凤姐在门前站着，蹬着门槛子，拿耳挖子剔牙，看着十来个小厮们挪花盆呢。见宝玉来了，笑道：『你来的好。进来，进来，替我写几个字儿。』宝玉只得跟了进来，到了房里，凤姐命人取过笔砚纸来，向宝玉道：『大红妆缎四十匹，蟒缎四十匹，各色上用纱一百匹，金项圈四个。』宝玉道：『这算什么？又不是账，又不是礼物，怎么个写法？』凤姐儿道：『你只管写上，横竖我自己明白就罢了。』（自己明白就行，『猫儿腻』多了。）宝玉听说，只得写了。

凤姐一面收起来，一面笑道：『还有句话告诉你，不知依不依？你屋里有个丫头叫小红的，我要叫了来使唤，明儿我再替你挑几个，可使得么？』宝玉道：『我屋里的人也多的很，姐姐喜欢谁，只管叫了来，何必问我？』凤姐笑道：『既这么着，我就叫人带他去了。』宝玉道：『只管带去。』（毫无反应吗？他不是已经对小红产生了兴趣了么？这里似乎略嫌粗疏。）说着便要走。凤姐道：『你回来，我还有一句话呢。』（什么话？）宝玉道：『老太太叫我呢，有话等回来罢。』说着，便至贾母这边，只见都已吃完饭了。贾母因问他：『跟着你娘吃了什么好的？』宝玉笑道：『也没什么好的，我倒多吃了一碗饭。』因问：『林姑娘在那里？』贾母道：『里头屋里呢。』

宝玉进来，只见地下一个丫头吹熨斗，炕上两个丫头打粉线，黛玉弯着腰拿剪子裁什么呢。宝玉走进来，笑道：『哦！这是做什么呢？才吃了饭，这么控着头，一会子又头疼了。』黛玉并不理，只管裁他的。有一个丫头说道：『那块绸子角儿还不好呢，再熨他一熨。』黛玉便把剪子一撂，说道：『理他呢，过一会子就好了。』（宝玉说什么，黛玉立即知道。黛玉『真神人也』。宝黛爱情真是得天独深厚的爱情也。）宝玉听了，自是纳闷。（纳闷什么？宝玉的话她听见了么？）只见宝钗探春等也来了，和贾母说了一回话，宝钗也进来问：『林妹妹做什么呢？』因见林黛玉裁剪，笑道：『越发能干了，连裁剪都会了。』黛玉笑道：『这也不过是撒谎哄人罢了。』宝钗笑道：『我告诉你个笑话儿，才刚为那个药，我说了个不知道，宝兄弟心里不受用了。』林黛玉道：『理他呢，过会子就好了。』宝玉向宝钗道：『老太太要抹骨牌，正没人，你抹骨牌去罢。』宝钗听说，便笑道：『我是为抹骨牌才来么？』说着便走了。林黛玉道：『你倒是去罢，这里有老虎，看吃了你！』说着又裁。宝玉见他不理，只得还陪笑说道：『你也去逛逛，再裁不迟。』（一波未平，一波又起。宝玉的不是算是赔不完了。）黛玉总不理。宝玉便问丫头们：『这是谁叫他裁的？』黛玉见问丫头们，便说道：『凭他谁叫我裁，也不管二爷的事！』宝玉方欲说话，只见有人进来回说：『外头有人请。』宝玉听了，忙撤身出来。黛玉向外头说道：『阿弥陀佛！赶你回来，我死了也罢了！』（动不动讲死，因是怄宝玉，却也确实反映了二人的感情已经带有生死与之的性质。）

宝玉出来到外面，只见焙茗说：『冯大爷家请。』宝玉听了，知道是昨日的话，便说：『要衣裳去。』就自己往书房里来。焙茗一直到了二门前等人，只见出来了一个老婆子，焙茗上去说道：『宝二爷在书房里等出门的衣裳，你老人家进去带个信儿。』那婆子道：『放你娘的屁！倒好，宝二爷如今在园里住着，跟他的人都在园里，

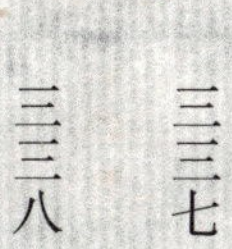

你又跑了这里来带信儿！』焙茗听了笑道：『骂的是，我也糊涂了！』（为何糊涂？有那么紧迫和复杂么？）说着，一径往东边二门前来，可巧门上小厮在甬路底下踢球，焙茗将原故说了，有个小厮跑了进去，半日，才抱了一个包袱出来，递与焙茗，回到书房里。

宝玉换了，命人备马，只带着焙茗、锄药、双瑞、寿儿四个小厮去了。一径到了冯紫英门口，有人报与冯紫英，出来迎接进去。只见薛蟠早已在那里久候了，还有许多唱曲儿的小厮们，并唱小旦的蒋玉函，（蒋玉函的出现，引发了后面宝玉挨打的大事件，最后又联系上袭人的归宿，也算一人多能，天衣无缝。）锦香院的妓女云儿。大家都见过了，然后吃茶。

宝玉擎茶笑道：『前儿所言「幸与不幸」之事，我昼夜悬想，今日一闻呼唤即至。』冯紫英笑道：『你们令姑表弟兄倒都心实。前日不过是我的设辞，诚心请你们一饮，恐又推托，故说下这句话。今日一邀即至，谁知都信真了。』说毕，大家一笑。（高高举起，轻轻放下，前诈而今实乎？前真而今诈乎？谁知道？）然后摆上酒来，依次坐定。

冯紫英先命唱曲儿的小厮过来让酒，然后命云儿也来敬。

那薛蟠三杯下肚，不觉忘了情，拉着云儿的手，笑道：『你把那体己新样儿的曲子唱个我听，我吃一坛，如何？』云儿听说，只得拿起琵琶来，唱道：

两个冤家，都难丢下，想着你来又记挂着他。两个人，形容俊俏都难描画。想昨宵，幽期私订在茶架，一个偷情，一个寻拿，拿住了，三曹对案我也无回话。（令人想起苏联歌曲《山楂树》。）

唱毕，笑道：『你喝一坛子罢了。』薛蟠听说，笑道：『不值一坛，再唱好的来。』

宝玉笑道：『听我说来：这么滥饮，易醉而无味。我先喝一大海，发一个新令，有不遵者，连罚十大海，逐出席外，与人斟酒。』（懂得正经人，正经书，正经事当然好，作为小说家，还要懂点邪的歪的，或半邪半歪的。）冯紫英蒋玉函等都道：『有理，有理。』宝玉拿起海来，一气饮尽，说道：『如今要说「悲」「愁」「喜」「乐」四字，却要说出「女儿」来，还要注明这四个字原故。说完了，喝门杯，酒面要唱一个新鲜时样曲子，酒底要席上生风一样东西，或古诗、旧对、《四书》《五经》成语。』（造句。属于文学游戏。考的是文字能力与构思能力。反应要快，联想力要丰富。）薛蟠未等说完先站起来拦道：『我不来，别算我。这竟是玩弄我呢！』云儿也站起来，推他坐下，笑道：『怕什么？这还亏你天天吃酒呢，难道连我也不如？我回来还说呢。说是了，罢；不是了，不过罚上几杯，那里就醉死了。你如今一乱令，倒喝十大海，下去斟酒不成？』众人都拍手道：『妙！』薛蟠听说无法，只得坐了。听宝玉说道：『女儿悲，青春已大守空闺；女儿愁，悔教夫婿觅封侯；女儿喜，对镜晨妆颜色美；女儿乐，秋千架上春衫薄。』（各种酒令，『红』写得淋漓尽致，似比今天的国人的酒令更雅一些。）

众人听了，都说道：『好！』薛蟠独扬着脸，摇头说：『不好，该罚！』众人问：『如何该罚？』薛蟠道：『他说的我全不懂，怎么不该罚？』云儿便拧他一把，笑道：『你悄悄的想你的罢。回来说不出，又该罚了。』于是拿琵琶听宝玉唱道：

滴不尽相思血泪抛红豆，开不完春柳春花满画楼，睡不稳纱窗风雨黄昏后，忘不了新愁与旧愁，咽不下玉粒金波噎满喉，照不尽菱花镜里形容瘦。展不开的眉头，捱不明的更漏。呀！恰便似遮不住的青山隐隐，流不断的绿水悠悠。（把叙写女子心事的曲子变成佐酒的酒令。血泪，愁，都成了游戏。成了游戏就不会一味煸情滥情。煸情滥情与娇情无情是一样的可厌的。这也算是玩文学吧？只玩，或闻玩暴怒，视玩为大逆不道，未免都有些走火入魔。）

唱完，大家齐声喝彩，独薛蟠说：「无板。」宝玉饮了门杯，便拈起一片梨来，说道：「「雨打梨花深闭门」。」完了令。

下该冯紫英，说道：「女儿喜，头胎养了双生子；女儿乐，私向花园掏蟋蟀；女儿悲，儿夫染病在垂危；女儿愁，大风吹倒梳妆楼。」说毕，端起酒来，唱道：

你是个可人，你是个多情，你是个刁钻古怪鬼灵精，你是个神仙也不灵。我说的话儿你全不信，只叫你去背地里细打听，才知道我疼你不疼！（有民歌风。）

唱完，饮了门杯，说道：「「鸡声茅店月」。」令完，下该云儿。

云儿便说道：「女儿悲，将来终身倚靠谁？」薛蟠笑道：「我的儿，有你薛大爷在，你怕什么？」众人都道：「别混他，别混他！」云儿又道：「女儿愁，妈妈打骂何时休？」薛蟠道：「前儿我见了你妈，还吩咐他，不叫他打你呢。」众人都道：「再多言者，罚酒十杯！」薛蟠连忙自己打了一个嘴巴子，说道：「没耳性，再不许说了。」（这个哏捧得好。戏曲表演上常有这种笑料。）云儿又道：「女儿喜，情郎不舍还家里；女儿乐，住了箫管弄弦索。」说完，便唱道：

豆蔻花开三月三，一个虫儿往里钻；钻了半日钻不进去，爬到花儿上打秋千。肉儿小心肝，我不开了，你怎么钻？（有妓女风。但仍不算粗鄙。）

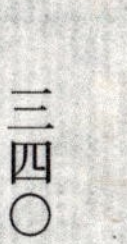

唱毕，饮了门杯，说道：「「桃之夭夭」。」（象征化能有净化的效果。云儿有一定的文化素养。）令完，下该薛蟠。

薛蟠道：「我可要说了：女儿悲——」说了半日，不见说底下的。冯紫英笑道：「悲什么？快些说。」薛蟠登时急的眼睛铃铛一般，便说道：「女儿悲——」又咳嗽了两声，方说道：「女儿悲，嫁了个男人是乌龟。」（好！）众人听了都大笑起来。薛蟠道：「笑什么？难道我说的不是？一个女儿嫁了汉子，要做忘八，怎么不伤心呢？」众人笑的弯腰说道：「你说的是！快说底下的罢。」薛蟠瞪了瞪眼，又说道：「女儿愁——」说了这句，又不言语了。众人道：「怎么愁？」薛蟠道：「绣房钻出个大马猴。」（薛蟠体的诗，仍然会有人做的。今人做薛蟠风格的诗，比薛蟠更厚颜。）众人哈哈笑道：「该罚，该罚！先还可恕，这句更不通。」说着，便要斟酒。宝玉笑道：「押韵就好。」薛蟠道：「令官都准了，你们闹什么？」（薛蟠横蛮，『有血债』。但他的率直和幽默给人以好感。与同样横蛮乃至狠毒而又诡诈和一本正经的人相比，薛蟠简直可爱起来了！）众人听说，方罢了。

云儿笑道：「下两句越发难说了，我替你说罢。」薛蟠道：「胡说！当真我就没好的了！听我说罢：女儿喜，洞房花烛朝慵起。」（任何事物都要一波三折才好。薛蟠虽粗，不可能生在那样人家一点文词不接触。我们毋宁设想，他的粗鲁也是他表示自己的特权、放纵与享乐的一种手段。有这句雅的，才有了起、承、转，最后就更上一层楼了。）众人听了，都诧异道：「这句何其太雅？」薛蟠道：「女儿乐，一根⿰毛几⿰毛巴往里戳。」众人听了，都回头说道：「该死，该死！快唱了罢。」薛蟠便唱道：「一个蚊子哼哼哼。」众人都怔了，说道：「这是个什么曲儿？」薛蟠还唱道：「两个苍蝇嗡嗡嗡。」众人都道：「罢，罢，罢！」薛蟠道：「爱听不听！这是新鲜曲儿，叫做「哼哼韵」儿，你们要懒怠听，连酒底都免了，我就不唱。』（恶搞之风，祖师爷的薛蟠。）众人都道：『免了罢，倒别耽误了别人家。』

于是蒋玉函说道：『女儿悲，丈夫一去不回归；女儿愁，无钱去打桂花油；女儿喜，灯花并头结双蕊；女儿乐，夫唱妇随真和合。』说毕，唱道：

可喜你天生成百媚娇，恰便似活神仙离碧霄。度青春，年正小；配鸾凤，真也巧。呀！看天河正高，听谯楼鼓敲，剔银灯，同入鸳帏悄。（优伶风。）

唱毕，饮了门杯，笑道：『这诗词上我倒有限，幸而昨日见了一副对子，只记得这句，可巧席上还有这件东西。』说毕，便干了酒，拿起一朵木樨来，念道：『「花气袭人知昼暖」。』（偶然乎？偶然在生活中，在小说中，何等有魅力。因偶然而无法解释，因偶然无法解释而带有宿命——必然性质。偶然便成了神明，成了神意了。）

众人倒都依了，完令。薛蟠又跳了起来喧嚷道：『了不得，了不得！该罚，该罚！这席上并没有宝贝，你怎么说起宝贝来？』蒋玉函忙说道：『何曾有宝贝？』薛蟠道：『你还赖呢？你再念来。』蒋玉函只得又念了一遍。薛蟠道：『「袭人」可不是宝贝是什么？你们不信只问他。』说毕，指着宝玉。宝玉没好意思起来，说：『薛大哥，你该罚多少？』薛蟠道：『该罚，该罚！』（薛亦知宝玉与袭人的『猫儿腻』。）说着，拿起酒来，一饮而尽。冯紫英与蒋玉函等犹问他原故，云儿便告诉了出来。蒋玉函忙起身陪罪。众人都道：『不知者不作罪。』

蒋玉函行酒令中竟说出了『花气袭人』。联想到袭人最终嫁给了蒋，现在的这一笔令人震惊！真是震撼人心的一笔！冥冥中万事皆有定数，一饮一啄莫非前定，这不是科学，而是神学。但同时，它非常文学！就是说，他是对自己的命运无能为力而又饱经沧桑的人返视自己的、亲人友人仇人的遭遇时的主观感受。作为一种观念，它是符合客观的不但真实的。作为一种感受，它是刻骨的真实的。

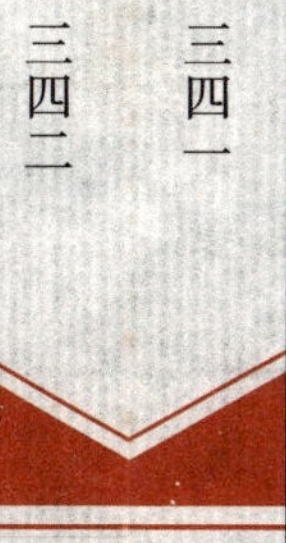

少刻，宝玉出席解手，蒋玉函随了出来。（『随』得可笑，亦有些下作。）二人站在廊檐下，蒋玉函又赔不是。宝玉见他妩媚温柔，（妩媚温柔，似是0型同性恋的说法。）心中十分留恋，便紧紧的搭着他的手，叫他：『闲了往我们那里去。还有一句话问你，也是你们贵班中，有一个叫琪官儿的，他如今名驰天下，可惜我独无缘一见。』（宝玉生活在封闭环境中，如何知道这些事这些歌这些酒令？宝玉不是说男孩是泥做的吗？貌美男子：北静王、秦、蒋等则例外，不但是水，而且是酒做的啦！）蒋玉函笑道：『就是我的小名儿。』宝玉听说，不觉欣然跌足笑道：『有幸，有幸！果然名不虚传。今儿初会，便怎么样呢？』想了一想，向袖中取出扇子，将一个玉玦扇坠解下来，递与琪官，道：『微物不堪，略表今日之谊。』琪官接了，笑道：『无功受禄，何以克当？也罢，我这里也得了一件奇物，今日早起方系上，还是簇新，聊可表我一点亲热之意。』说毕，撩衣将系小衣儿一条大红汗巾子解了下来，递与宝玉，道：『这汗巾子是茜香国女国王所贡之物，夏天系着肌肤生香，不生汗渍。昨日北静王给的，今日才上身。若是别人，我断不肯相赠。二爷请把自己系的解下来给我系着。』（已经有点那个，一解释来路更加弗洛伊德了。）宝玉听说，喜不自禁，连忙接了，将自己一条松花汗巾解下来，递与琪官。（想当年宝玉与秦钟亦这样粘粘糊糊，嘻嘻闹闹。而今鲸卿何在？宝玉这样悲那样也悲，为何不为鲸卿一悲？是真有情乎？）二人方束好，只听一声大叫：『我可拿住了！』只见薛蟠跳了出来，拉着二人道：『放着酒不吃，两个人逃席出来，干什么？快拿出来我瞧瞧。』二人都道：『没有什么。』薛蟠那里肯依？还是冯紫英出来，才解开了。复又归坐饮酒，至晚方散。

宝玉回至园中，宽衣吃茶，袭人见扇子上的扇坠儿没了，便问他：『往那里去了？』宝玉道：『马上丢了。』睡觉时，只见腰里一条血点似的大红汗巾子，袭人便猜了八九分，因说道：『你有了好的系裤子，把我的那条还我罢。』宝玉听了，方想起那条汗巾子，原是袭人的，不该给人才是。（太泛太博的情容易顾此失彼，喜新厌旧，故而会成为无情薄情寡情的另一面。）心里后悔，口里说不出来，只得笑道：『我赔你一条罢。』袭人听了，点头叹道：『我就知道又干这些事！也不该拿我的东西给那起混账人，（定数。真是『混账人』啊！）也难为你心里没个算计儿。』欲再说几句，又恐怄上他的酒来，少不得也睡了。一宿无话。

至次日天明方才醒了，只见宝玉笑道：『夜里失了盗也不晓得，你瞧瞧裤子上。』袭人低头一看，只见昨日宝玉系的那条汗巾子，系在自己腰里呢，便知是宝玉夜间换了，忙一顿就解下来，说道：『我不希罕这行子，趁早儿拿了去！』宝玉见他如此，只得委婉解劝了一回。袭人无法，只得系上。过后宝玉出去，终久解下来，掷在个空箱子里，自己又换了一条系着。（诸事皆有定数，天公自有巧安排。无定数，无安排，经过亲历者的分析，经过人为事立法，也就有定数有天意了。无法怎样，只得怎样，袭人一生就是这样。）

宝玉并未理论，因问起：『昨日可有什么事情？』袭人便回说：『二奶奶打发人叫了小红去了。他原要等你来着，我想什么要紧，我就做了主，打发他去了。』宝玉道：『很是。我已经知道了，不必等我罢了。』（毫不依依。）

袭人又道：『昨日贵妃打发夏太监出来送了一百二十两银子，叫在清虚观初一到初三打三天平安醮，唱戏献供，叫珍大爷领着众位爷们跪香拜佛呢。还有端午儿的节礼也赏了。』说着，命小丫头来，将昨日的所赐之物取了出来，

只见上等宫扇两柄，红麝香珠二串，凤尾罗二端，芙蓉簟一领。

宝玉见了，喜不自胜，问：『别人的也都是这个？』袭人道：『老太太多着一个香玉如意，一个玛瑙枕。老爷、太太、姨太太的，只多着一个香玉如意。你的同宝姑娘的一样。林姑娘同二姑娘、三姑娘、四姑娘只单有扇子和数珠儿，别的都没有。大奶奶、二奶奶他两个是每人两匹纱，两匹罗，两个香袋儿，两个锭子药。』（袭人如此掌握全局，心中有数，奇了。）宝玉听了，笑道：『这是怎么个原故？怎么林姑娘的倒不同我的一样，倒是宝姐姐的同我一样？别是传错了罢？』（没有区别就没有政策，元妃赏物亦本着这个原则。没有亲疏、远近、贵贱、高下，哪里还有人生？）袭人道：『昨儿拿出来都是一分一分的写着签子，怎么就错了！（黛玉葬花的不幸预感，正在有条不紊地兑现为事实。由袭人来论证『不错』，合适。说明了元妃的意图符合袭人的『民心』。）你的是在老太太屋里的，我去拿了来了。老太太说了，明儿叫你一个五更天进去谢恩呢。』宝玉道：『自然要走一趟。』说着，便叫了紫鹃来：『拿了这个到你们姑娘那里去，就说是昨儿我得的，爱什么留下什么。』紫鹃答应了，拿了去。不一时回来，说：『姑娘说了，昨儿也得了，二爷留着罢。』（可叹！）

宝玉听说，便命人收了。刚洗了脸出来要往贾母那里请安去，只见黛玉顶头来了，宝玉赶上去笑道：『我的东西叫你拣，你怎么不拣？』黛玉昨儿所恼宝玉的心事，早又丢开，只顾今日的事了，因说道：『我没这么大福气禁受，比不得宝姑娘，什么「金」什么「玉」的！我们不过是个草木之人罢了。』（金、玉其实是没有生命的，它们的珍贵是人为地造成的。草木是生命自身，是自身的生长与凋谢。）宝玉听他提出『金玉』二字来，不觉心动疑猜，便说道：

『除了别人说什么「金」什么「玉」，我心里要有这个想头，天诛地灭，万世不得人身！』黛玉听他这话，便知他心里动了疑，忙又笑道：『好没意思，白白的说什么誓？管你什么「金」什么「玉」的呢！』宝玉道：『我心里的事也难对你说，日后自然明白。除了老太太、老爷、太太这三个人，第四个就是妹妹了。要有第五个人，我也起个誓。』（有话不能说，有话不能听，有心不能表白。）林黛玉道：『你也不用起誓，我很知道，你心里有「妹妹」，但只是见了「姐姐」，就把「妹妹」忘了。』宝玉道：『那是你多心，我再不是这样的。』林黛玉道：『昨儿宝丫头不替你圆谎，你为什么问着我呢？那要是我，你又不知怎么样了。』（这是说不清楚的。如果仅仅是这三个人的感情纠葛，事犹可说。加上元妃的意图，还有什么可说的？宝玉赌咒起誓，又有何用？）

正说着，只见宝钗从那边来了，二人便走开了。宝钗分明看见，只装看不见，低头过去了。（宝钗已吃了定心丸，便不计较别的了。）到了王夫人那里，坐了一回，然后到了贾母这边，只见宝玉也在这里呢。宝钗因往日母亲对王夫人等曾提过『金锁是个和尚给的，等日后有玉的方可结为婚姻』等语，所以总远着宝玉。昨日见元春所赐的东西，独他与宝玉一样，心里越发没意思起来。幸亏宝玉被一个林黛玉缠绵住了，心心念念只记挂着林黛玉，并不理论这事。此刻忽见宝玉笑道：『宝姐姐，我瞧瞧你的那香串子？』可巧宝钗左腕上笼着一串，见宝玉问他，少不得褪了下来。

宝钗原生的肌肤丰泽，容易褪不下来，宝玉在傍边看着雪白的臂膊，不觉动了羡慕之心，暗暗想道：『这个膀子，若长在林姑娘身上，或者还得摸一摸，偏长在他身上，正是恨我没福。』忽然想起『金玉』一事来，再看看宝钗

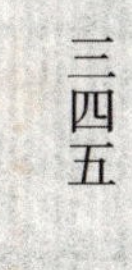

形容，只见脸若银盆，眼同水杏，唇不点而红，眉不画而翠，比林黛玉另具一种妩媚风流，不觉就呆了，宝钗褪下串子来递与他也忘了接。（果如黛玉所说，见了姐姐，就把妹妹忘了。曹公敢于面对和描写他的最富自况意味的人物宝玉的这一面，这是很了不起的。他并不想捏出一个理想化的『情种』来。他正视作为一个活人的贾宝玉的七情六欲——不是单情独欲。）

宝钗见他呆了，自己倒不好意思的，丢下串子，回身才要走，只见林黛玉蹬着门槛子，嘴里咬着手帕子笑呢。宝钗道：『你又禁不得风吹，怎么又站在那风口里？』林黛玉笑道：『何曾不是在房里的。只因听见天上一声叫，出来瞧了瞧，原来是个呆雁。』宝钗道：『呆雁在那里呢？我也瞧瞧。』林黛玉道：『我才出来，他就「忒儿」一声飞了。』口里说着，将手里绢子一甩，向宝玉脸上甩来，宝玉不知，正打在眼上，『嗳哟』了一声。要知端的，下回分解。

『红』的爱情纠葛，又包括两方面的内容：一、宝、黛、钗的三角关系，三人的感情波澜。钗并非纯然的第三者。三个人的感情世界都很复杂。二、贾府环境对他们的情感——婚姻的影响。写到这一回，气候已经变了，已经是『西风压倒东风』了。作者的写法是：循序渐进，不慌不忙，不夸不饰。只写其『然』，不写其『所以然』，不事先回答疑问，填补空白。『满纸荒唐言』『谁解其中味』？尽管曹公写得很周密，仍然留下大量内里的空白，供你捉摸品味，无尽之意尽在『水下』。按海明威的说法，小说如冰山，『露出水面的只是它的八分之一，八分之七却藏在海里』。这不仅是一个含蓄的手法问题，技巧问题。更是作者的生活经验、阅历问题，作者的含蓄并非仅仅出自一种拒绝饶舌的艺术修养，更出自他的经验的丰富性。经验压制着判断，作者可以叙述描写自己的经验，却分析不完它。这样的作者有福了。

（宝黛之情出自他们对于生命的短暂与孤独的绝望感，爱情是他们唯一的自救之路。蒋玉函与薛宝钗，对于宝玉都有吸引力，但这吸引只是一种愉悦，没有精神深处的那种空虚与悲凉，以及死马当活马医——填补这种悲凉的一搏。）

第二十九回 享福人福深还祷福 多情女情重愈斟情

话说宝玉正自发怔，不想黛玉将手帕子甩了来，正碰在眼睛上，倒唬了一跳，问：『是谁？』林黛玉摇着头儿笑道：『不敢，是我失了手。因为宝姐姐要看呆雁，我比给他看，不想失了手。』（仍然不失稚趣，天真烂漫。人是永远可以原谅孩子的，也比较可以原谅童心的保有者。）宝玉揉着眼睛，待要说什么，又不好说的。

一时凤姐儿来了，因说起初一日在清虚观打醮的事来，约着宝钗、宝玉、黛玉等看戏去。宝钗笑道：『罢，罢！怪热的，什么没看过的戏，我不去的。』（遇事谦让收缩，很像是一种本能，本能化了的修养。客观上则很像是谋略。）凤姐道：『他们那里凉快，两边又有楼。咱们要去，我头几天先打发人去，把那些道士都赶出去，把楼上打扫了，挂起帘子来，一个闲人不许放进庙去，才是好呢。（净场方能迎宾。）我已经回了太太了，你们不去，我自家去。这些日子也闷的很了，家里唱动戏，我又不得舒舒服服的看。』贾母听说，就笑道：『既这么着，我同你去。』凤姐听说，笑道：『老祖宗也去，敢仔好！可就是我又不得受用了。』贾母道：『到明儿我在正面楼上，你在傍边楼上，你也不用到我这边来立规矩，可好不好？』凤姐笑道：『这就是老祖宗疼我了。』（凤姐一身而兼『宰相』与『弄臣』，不亦伟哉！）

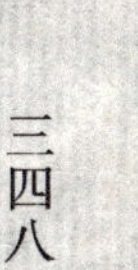

贾母因向宝钗道：『你也去，连你母亲也去。长天老日的，在家里也是睡觉。』宝钗只得答应着。（这也是宝钗的体面——应老祖宗之命而去。）

贾母又打发人去请了薛姨妈，顺路告诉王夫人，要带了他们姊妹去。王夫人因一则身上不好，二则预备元春有人出来，早已回了不去的；听贾母如此说，笑道：『还是这么高兴。』打发人去到园里告诉，有要逛去的，只管初一跟老太太逛去。』这个话一传开了，别人还可已，只是那些丫头们，天天不得出门槛儿，听了这话，谁不要去！（难得一出园。）便是各人的主子懒怠去，他也百般的撺掇了去，因此李宫裁等都说去。贾母越发心中喜欢，早已吩咐人去打扫安置，都不必细说。（也是自找麻烦。『找乐』，陈建功有以此命名的小说。）

单表到了初一这一日，荣国府门前车辆纷纷，人马簇簇。那底下凡执事人等，闻得是贵妃做好事，贾母亲自拈香，正是初一日乃月之首日，况是端阳节间，因此凡动用的什物，一色都是齐全的，不同往日。

少时贾母等出来。贾母坐一乘八人大轿，李氏、凤姐、薛姨妈每人一乘四人轿，宝钗、黛玉二人共坐一辆翠盖珠缨八宝车，迎春、探春、惜春三人共坐一辆朱轮华盖车。（又排场上了。）然后贾母的丫头鸳鸯、鹦鹉、琥珀、珍珠，黛玉的丫头紫鹃、雪雁、春纤，宝钗的丫头莺儿、文杏，迎春的丫头司棋、绣橘，探春的丫头侍书、翠墨，惜春的丫头入画、彩屏，薛姨妈的丫头同喜、同贵，外带香菱，香菱的丫头臻儿，李氏的丫头素云、碧月，凤姐儿的丫头平儿、丰儿、小红，并王夫人的两个丫头金钏、彩云，也跟了凤姐儿来。奶子抱着大姐儿，另在一车上。还有两个丫头，一共又连上各房的老嬷嬷奶娘，并跟出门的家人媳妇子，黑压压的站了一街的车。（全部女性。阵容强大。只列姓名也是阵容，也是气氛。一般地说，小说忌罗列人物姓名而无描写刻画。但这里不同，罗列出了气氛。此亦『文无定法』一例。笼统描写，亦见生动，可观可闻，活灵活现。）

贾母等已经坐轿去了多远，这门前尚未坐完。这个说『我不同你在一处』，那个说『你压了我们奶奶的包袱』，那边车上又说『招了我的花儿』，这边又说『碰了我的扇子』，咭咭呱呱，说笑不绝。周瑞家的走来过去的说道：『姑娘们，这是街上，看人笑话。』说了两遍，方见好了。

前头的全副执事摆开，早已到了清虚观门口。宝玉骑着马，在贾母轿前。街上人都站在两边。将至观前，只听钟鸣鼓响，早有张法官执香披衣，带领众道士在路旁迎接。（凤姐说过『把那些道士都赶出去』，张不在『那些』之列也。）贾母的轿刚至山门以内，见了土地本境城隍各位泥塑圣像，便命住轿。贾珍带领各子弟上来迎接。凤姐儿知道鸳鸯等在后面赶不上，贾母自己下了轿，忙要上来搀，可巧有个十二三岁的小道士儿，拿着剪筒，照管剪各处蜡花，正欲得便且藏出去，不想一头撞在凤姐儿怀里，凤姐便一扬手，照脸一下，把那小孩子打了一个斤斗，（出手又快又狠，有乒乓球运动员之风。）骂道：『小野杂种！往那里跑？』那小道士也不顾拾烛剪，爬起来往外还要跑，正值宝钗等下车，众婆娘媳妇正围随的风雨不透，但见一个小道士滚了出来，都喝声叫：『拿，拿！打，打！』（一齐喊打，很是弱者卑怯者的一种英雄主义乐趣。）

贾母听了，忙问：『是怎么了？』贾珍忙出来问。凤姐上去搀住贾母，就回说：『一个小道士儿剪烛花的，没躲出去，这会子混钻呢。』贾母听说，忙道：『快带了那孩子来，别唬着他。小门小户的孩子，都是娇生惯养惯了

的，那里见过这个势派？倘或唬着他，倒怪可怜见儿的，他老子娘岂不疼的慌？』说着，便叫贾珍：『去，好生带了来。』（老祖宗是来做好事的。叫做『阎王好惹，小鬼难缠』。然而，阎王是小鬼的后台。）贾珍只得去拉了那孩子，一手拿着蜡剪，跪在地下乱颤。贾母命贾珍拉起来，叫他：『不要怕。』问他：『几岁了？』那孩子总说不出话来。（又见小鬼，又见阎王，怎生不怕？）贾母还说：『可怜见儿的！』又向贾珍道：『珍哥带他去罢。给他些钱买果子吃，叫人别难为了他。』贾珍答应，领他去了。这里贾母带着众人，一层一层的瞻拜观玩。外面小厮们见贾母等进入二层山门，忽见贾珍领了一个小道士出来，叫人来带去，给他几百钱，不要难为了他。家人听说，忙上来领了下去。（评点者颇怀疑此小道士是否真的能够得到『宽大处理』。）

贾珍站在台矶上，因问：『管家在那里？』底下站的小厮们见问，都一齐喝声说：『叫管家！』登时林之孝一手整理着帽子，跑了来，到贾珍跟前。贾珍道：『虽说这里地方大，今儿咱们人多，你使的人，你就带了在这院里罢；使不着的，打发到那院里去。把小么儿们多挑几个在这二层门上同两边的角门上，伺候着要东西传话。你可知道不知道？今儿姑娘奶奶们都出来，一个闲人也不许到这里来。』林之孝忙答应：『晓得。』又说了几个『是』。贾珍道：『去罢。』又问：『怎么不见蓉儿？』

一声未了，只见贾蓉从钟楼里跑了出来。贾珍道：『你瞧瞧他，我这里也没热，他倒乘凉去了！』喝命家人啐他。（向小辈发威风，也是孱头们的特长。）那小厮们都知道贾珍素日的性子，违拗不得，便有个小厮上来向贾蓉脸上啐了一口。（精彩。看来早有训练，早有演习，可说是家常便饭。不然，小厮岂敢又啐又质询？大主子教训小主子，以示严明。）

贾珍还眼向着他，那小厮便问贾蓉道：『爷还不怕热，哥儿怎么先乘凉去了？』贾蓉垂着手，一声不敢说。那贾芸、贾萍、贾芹等听见了，不但他们慌了，亦且连贾琏、贾瑞、贾琼等也都忙了，一个一个都从墙根下慢慢的溜下来。贾珍又向贾蓉道：『你站着做什么？还不骑了马跑到家里告诉你娘母子去？老太太同姑娘们都来了，叫他们快来伺候！』（果然。）贾蓉听说，忙跑了出来，一叠连声的要马，一面抱怨道：『早都不知做什么的，这会子寻趁我。』（自然不服。）一面又骂小子：『捆着手呢么？马也拉不来。』（再怨下一层。）要打发小厮去，又恐怕后来对出来，说不得亲自走一趟，骑马去了。

且说贾珍方要抽身进来，只见张道士站在傍边，陪笑说道：『论理，我不比别人，应该里头伺候；只因天气炎热，众位千金都出来了，法官不敢擅入，请爷的示下。恐老太太问，或要随喜那里，我只在这里伺候罢了。』贾珍知道这张道士虽然是当日荣国公的替身，曾经先皇御口亲呼为『大幻仙人』，如今现掌『道录司』印，又是当今封为『终了真人』，现今王公藩镇都称为『神仙』，所以不敢轻慢。（替荣国公当了道士。真是好主意，什么都占全了，什么都不动真的，不吃亏。道士也需要头衔、封号、级别、圣恩。）二则他又常往两个府里去，凡夫人小姐都是见的。今见他如此说，便笑道：『咱们自己，你又说起这话来；再多说，我把你这胡子还揪了你的呢！还不跟我进来。』那张道士呵呵大笑着，跟了贾珍进来。（身份不同，关系不同，背景不同，点到为止，含而不露。）

贾珍到贾母跟前，控身陪笑，说着：『张爷爷进来请安。』贾母听了，忙道：『搀他来。』贾珍忙去搀过来。那张道士先呵呵笑道：『无量寿佛！老祖宗一向福寿康宁！众位奶奶小姐纳福！一向没到府里请安，老太太气色

越发好了。』贾母笑道：『老神仙，你好？』张道士笑道：『托老太太的万福，小道也还康健。别的倒罢了，只记挂着哥儿，一向身上好？前日四月二十六，我这里做遮天大王的圣诞，人也来的少，东西也很干净，我说请哥儿来逛逛，怎么说不在家？』（随便一个人的口语，都写得真切实在。）贾母说道：『果真不在家。』一面回头叫宝玉。谁知宝玉解手去了，才来，忙忙上前问：『张爷爷好？』张道士也抱住问了好，又向贾母笑道：『哥儿越发发福了。』贾母道：『他外头好，里头弱。又搭着他老子逼着他念书，生生的把个孩子逼出病来了。』（念念不忘控诉他老子。）张道士道：『前日我在好几处看见哥儿写的字，做的诗，都好的了不得。怎么老爷还抱怨说哥儿不大喜欢念书呢？依小道看来，也就罢了。』（很与贾母投合。）又叹道：『我看见哥儿的这个形容身段，言谈举动，怎么就同当日国公爷一个稿子！』说着，两眼流下泪来。贾母听了，也由不得满脸泪痕，说道：『正是呢！我养了这些儿子孙子，也没一个像他爷爷的，就只这玉儿像他爷爷。』（难得有个人与贾母一起回忆一下荣国公。增加了宝玉受宠的一个因素。不知算不算贾母的『移情』。）

那张道士又向贾珍道：『当日国公爷的模样儿，爷们一辈的不用说了，自然没赶上；大约连大老爷、二老爷也记不清楚了。』（『但是我记得清』，他的潜台词在这里。也是摆老资格。张道士是唯一与贾母提起国公爷的人，不同。）说毕，又呵呵大笑道：『前日在一个人家，看见一位小姐，今年十五岁了，生的倒也好个模样儿。我想着哥儿也该寻亲事了。若论这个小姐模样儿，聪明智慧，根基家当，倒也配的过。但不知老太太怎么样？小道也不敢造次，等请了老太太示下，才敢向人去张口呢。』贾母道：『上回有个和尚说了，这孩子命里不该早娶，等再大一大儿再定罢。』（什么时

侯说的？有点召之即来，要什么有什么的味道。毕竟是小说。）你如今也讯听着，不管他根基富贵，只要模样儿配的上，就来告诉我。便是那家子穷，不过给他几两银子。只是模样儿，性格儿，难得好的。』（话说得很好。）

说毕，只见凤姐儿笑道：『张爷爷，我们丫头的寄名符儿，你也不换去。前儿亏你还有那么大脸，打发人和我要鹅黄缎子去！要不给你，又恐怕你那老脸上过不去。』（用『辣子』方法与张道士『套磁』。张道士正与贾母话家常忆旧谈新，凤姐接了上来，说明凤姐的地位、人头儿。也没过早插嘴，免得妨碍贾母与之交谈；又没过迟，免得贾母觉得厌倦或气氛转凉。）

张道士哈哈大笑道：『你瞧，我眼花了！也没见奶奶在这里，也没道谢。寄名符早已有了，前日原想送去的，不知道娘娘来做好事，也就混忘了。还在佛前镇着。待我取来。』说着，跑到大殿上去，一时拿了一个茶盘，搭着大红蟒缎经袱子，托出符来。大姐儿的奶子接了符，张道士方欲抱过大姐儿来，只见凤姐笑道：『你就手里拿出来罢了，又用个盘子托着。』张道士道：『手里不干不净的，怎么拿？用盘子洁净些。』凤姐笑道：『你只顾拿出盘子，倒唬我一跳，我不说你是为送符，倒像是和我们化布施来了。』（笑料俯拾即是，凤姐的智商就是高。）众人听说，哄然一笑，连贾珍也掌不住笑了。贾母回头道：『猴儿，猴儿！你不怕下割舌地狱？』凤姐笑道：『我们爷儿们不相干，他怎么常常的说我该积阴骘，迟了就短命呢？』（玩笑中又出现了宿命阴影。）

张道士也笑道：『我拿出盘子来，一举两用，倒不为化布施，倒要将哥儿的这玉请了下来，托出去给那些远来的道友并徒子徒孙们见识见识。』（玉本是补天之物，天外之物，化外之物，形而上之物，偏常做形而下的处理，令读者念念不忘，几信其有。）贾母道：『既这么着，你老人家老天拔地的，跑什么，带他去瞧了叫他进来，岂不省事？』张道士道：

王蒙评点

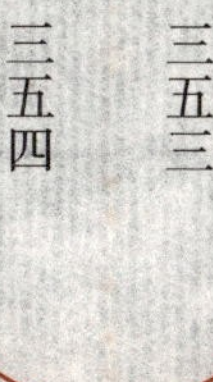

『老太太不知道，看着小道是八十岁的人，托老太太的福，倒还健朗；二则外面的人多气味难闻，况是个暑热的天，哥儿受不惯，倘或哥儿中了腌臜气味，倒值多了。』贾母听说，便命宝玉摘下『通灵玉』来，放在盘内。（张道士何等体面。此外，谁能要下玉来拿出去供参观？张究竟是谁？）那张道士兢兢业业的用蟒袱子垫着，捧了出去。

这里贾母与众人各处游玩一回。方去上楼，只见贾珍回说：『张老爷送了玉来。』刚说着，张道士捧了盘子走到跟前，笑道：『众人托小道的福，见了哥儿的玉，实在稀罕，都没什么敬贺，这是他们各人传道的法器，都愿意为敬贺之礼。哥儿便不稀罕，只留着玩耍赏人罢。』（人皆有『玉』或『准玉』。这是什么意思呢？按照好莱坞警匪片的逻辑，会不会是张道士把真玉通过这个手段换走了呢？换了又怎样？不换又怎样？真乎假乎，有乎无乎，到了大荒山，都一样啊。）贾母听说，向盘内看时，只见也有金璜，也有玉玦，或有『事事如意』，或有『岁岁平安』，皆是珠穿宝嵌，玉琢金镂，共有三五十件。因说道：『你也胡闹。他们出家人，是那里来的，何必这样？这断不能收。』张道士笑道：『这是他们一点敬意，小道也不能阻挡。老太太若不留下，岂不叫他们看着小道微薄，不像是门下出身了。』贾母听如此说，方命人接下了。宝玉笑道：『老太太，张爷爷既这么说，又推辞不得，我要这个也无用，不如叫小子捧了这个，跟着我出去散给穷人罢。』贾母笑道：『这话说的是。』张道士又忙拦道：『哥儿虽要行好，但这些东西虽说不甚稀罕，到底也是几件器皿。若给了乞丐，一则与他们也无益，二则反倒遭塌了这些东西。要舍给穷人，何不就散钱与他们？』（张道士说得很合情合理而又照顾周到。更主要的原因没说出来，应该照顾敬献者们的脸面呀！权贵占有财富，朝里有人，读书吟诗，享福祈福，而且也占尽了僧道灵异的先机。）宝玉听说，便命：『收下，等晚间拿钱施舍罢。』说毕，张道士方才退出。

这里贾母与众人上了楼，在正面楼上归坐。凤姐等上了东楼。众丫头等在西楼轮流伺候。贾珍一时来回道：『神前拈了戏，头一本《白蛇记》。』贾母问：『《白蛇记》是什么故事？』贾珍道：『汉高祖斩蛇方起首的故事。第二本是《满床笏》。』贾母道：『这倒是第二本也还罢了。神佛要这样，也只得罢了。』又问：『第三本？』贾珍道：『第三本是《南柯梦》。』贾母听了，便不言语。贾珍退了下来，走至外边，预备着申表、焚钱粮、开戏，不在话下。（三出戏，无非是始而终，盛而衰，最后一场虚空之意。虚空自然是要虚空的，问题是虚空之前，又委实真实要紧。）

三出戏各似有深意。这种另有『所指』的文字在『红』中比比皆是。这样，就造就了一种阅读方法，当称之为读『天书』的方法，拿文本当『密电码』来破译，有时尝到甜头，尝到一种探秘的趣味，但若一味这样搞，又容易神经兮兮，牵强附会。评点者则更倾向于首先拿『红』当小说读。小说中有象征隐喻的文字是可能的。通篇既是可读可叹的小说又是密电码，从创作论上看，完全不可能。搞密电码式的文学，顶多搞到《水浒传》中藏头诗的低劣水平。

且说宝玉在楼上，坐在贾母傍边，因叫个小丫头子，捧着方才那一盘子贺物，将自己的玉带上，用手翻弄寻拨，一件一件的挑与贾母看。贾母因看见有个赤金点翠的麒麟，便伸手拿起来，笑道：『这件东西，好像是我看见谁家的孩子也带着一个的。』（又稀罕神秘了。）宝钗笑道：『史大妹妹有一个，比这个小些。』（是史家的事了。）贾母道：『原来是云儿有这个。』宝玉道：『他这么往我们家去住着，我也没看见。』探春笑道：『宝姐姐有心，不管什么他都记得。』黛玉冷笑道：『他在别的上头心还有限，惟有这些人带的东西上，越发留心。』（玉、钗、

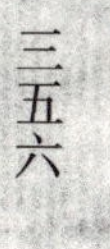

锁布成了迷魂阵。不但令黛玉凄怆，也令无数读者迷惑。天数有定，但天数本身又如此相悖相扰，一塌糊涂！这也是『因何镇日纷纷乱，只为阴阳数不通』。）宝钗听说，便回头装没听见。

宝玉听见史湘云有这件东西，自己便将那麒麟忙拿起来，揣在怀里。一面心里又想到怕人看见他听是史湘云有了，他就留着这件，因此，手里揣着，却拿眼睛瞟人。只见众人倒都不理论，惟有林黛玉瞅着他点头儿，似有赞叹之意。宝玉不觉心里没意思起来，又掏出来，瞅着黛玉赸笑道：『这个东西倒好玩，我替你留着，到家穿上你带。』林黛玉将头一扭道：『我不稀罕。』宝玉笑道：『你既不稀罕，我少不得就拿着。』说着，又揣了起来。（把玉的故事做大做足，除本身的失、得、祛邪、观赏外，又横向联系出金麒麟、金锁来。宝玉无趣得可怜了。）

玉、锁、麒麟之属，聚讼纷纭。胡适并曾因之而批评『红』够不上『自然主义』。对此不能求真，不能求证，不能用形式逻辑去分析推导。只能偏重于象征地、幻化地、主观地去直观整体感受之。命数之奇，之乱，而又无独有偶，不仅宝玉有玉，宝钗有锁，湘云有麒麟，而且张道士处又有一麒麟。能解释多少就解释多少，能猜测多少就猜测多少。不过那就没有准儿了解不开，猜不着，就只好存疑存在那里，这才是阅读之道。强不知以为知，郢书燕说，难免钻牛角尖。保留几分命运的暗示的神秘性——就算是故弄玄虚吧，也是小说家言小说之道。紧紧地把握住『红』是小说，有些事情就好办了。

刚要说话，只见贾珍之妻尤氏和贾蓉续娶的媳妇婆媳两个来了，（续娶了谁？为何说得如此含糊？）见过贾母。贾母道：『你们又来做什么，我不过没事来逛逛。』一句话说了，只见人报：『冯将军家有人来了。』原来冯紫英家听见贾府在庙里打醮，连忙预备猪羊、香烛、茶食之类的东西送礼。凤姐听了，忙赶过正楼来，拍手笑道：（动

不动拍手说笑，倒还不是没落恐慌心态。那时国人尚无鼓掌习俗，却知拍手而笑。拍手而笑，得意之中带几分野性与傻气。全都是没事找事。）『嗳呀！我却不防这个。只说咱们娘儿们来闲逛逛，人家只当咱们大摆斋坛的来送礼，都是老太太闹的。这又不得预备赏封儿。』刚说了，只见冯家的两个管家婆子上楼来了。冯家两个未去，接着赵侍郎家也有礼来了。于是接二连三，都听见贾府打醮，女眷都在庙里，凡一应远亲近友，世家相与，都来送礼。贾母才后悔起来，说：『又不是什么正经斋事，我们不过闲逛逛，没的惊动人。』因此虽看了一天戏，至下午便回来了，次日便懒怠去。（贾母是个贪玩爱热闹的人，却也有嫌烦的时候。）凤姐又说：『「打墙也是动土」，已经惊动了人，今儿乐得还去逛逛。』贾母因昨日见张道士提起宝玉说亲的事来，谁知宝玉一日心中不自在，回家来生气，嗔着张道士与他说了亲，口口声声说：『从今以后，再不见张道士了。』（张道士是个什么角色？怎么能有如许大的影响？如当时只是信口一说，为何余音袅袅不绝？）别人也并不知为什么原故；二则林黛玉昨日回家，又中了暑，因此二事，贾母便执意不去了。凤姐见不去，自己带了人去，也不在话下。

且说宝玉因见林黛玉病了，心里放不下，饭也懒怠吃，不时来问，林黛玉又怕他有个好歹。因说道：『你只管看你的戏去，在家里做什么？』宝玉因昨日张道士提亲事，心中大不受用，今听见林黛玉如此说，心里因想道：『别人不知道我的心，还可恕，连他也奚落起我来。』因此心中更比往日更烦恼加了百倍。若是别人跟前，断不能动这肝火，只是黛玉说了这话，倒又比往日别人说这话不同，由不得立刻沉下脸来，说道：『我白认得了你！罢了，罢了！』林黛玉听说，便冷笑了两声道：『白认得了我？那里像人家有什么配得上呢。』（命运的阴影，爱情的达摩克利斯

之剑。）宝玉听了，便向前来直问到脸上：『你这么说，是安心咒我天诛地灭？』林黛玉一时解不过这个话来。宝玉又道：『昨儿还为这个赌了几回咒，今儿你到底又重我一句！我便「天诛地灭」，你又有什么益处？』黛玉一闻此言，方想起上日的话来。今日原自己说错了，又是着急，又是羞愧，便战战兢兢的说道：『我要安心咒你，我也「天诛地灭」。何苦来！我知道昨日张道士说亲，你怕拦了你的好姻缘，你心里生气，来拿我煞性子。』（爱情是怎样地不讲道理，不讲逻辑！面对你心爱的女子的时候，切勿念念不忘形式逻辑的论证规则！）

原来那宝玉自幼生成有一种下流痴病，况从幼时和黛玉耳鬓厮磨，心情相对，及如今稍明时事，又看了那些邪书僻传，凡远亲近友之家所见的那些闺英闱秀，皆未有稍及林黛玉者，所以早存一段心事，只不好说出来。故每每或喜或怒，变尽法子暗中试探。那林黛玉偏生也是个有些痴病的，（痴病痴病，不痴不病者不知其味，又痴又病者不知其病。）也每用假情试探。因你也将真心真意瞒了起来，只用假意，我也将真心真意瞒了起来，只用假意，如此『两假相逢，终有一真』，其间琐琐碎碎，难保不有口角之事。即如此刻，宝玉的心内想的是：『别人不知我的心，还可恕；难道你就不想我的心里眼里只有你？你不能为我解烦恼，反来以这话奚落堵噎我，可见我心里一时一刻白有你，你心里竟没我了。』宝玉是这个意思，只口里说不出来。那林黛玉心里想着：『你心里自然有我，虽有「金玉相对」之说，你岂是重这邪说不重我的？（邪说与人，邪说与我，这个问题概括得好。但邪说背后有命运，有天意，于是令人气馁了。）我便时常提着「金玉」，你只管了然无闻的，方见得是待我重，无毫发私心了。如何我只一提「金玉」的事，你就着急？可知你心里时时有「金玉」的，见我一提，你又怕我多心，故意着急，安心哄我。』

看来两个人原本是一个心，却多生了枝叶，反弄成两个心了。那宝玉心中又想道：『我不管怎么样都好，只要你随意，我便立刻因你死了也情愿。你知也罢，不知也罢，只由我的心，那才是你和我近，不和我远。』林黛玉心里又想着：『你只管你，你好，我自好。你何必为我把自己失了？殊不知，你失我也失。可见，你不叫我近你，你竟叫我远你了。』（这些话像绕口令一样，盖那个时候的感情就是这样千曲百回。哪像如今英文里所说：『我需要你，我的甜心蜜糖！』）如此看来，却都是求近之心，反弄成疏远之意。此皆他二人素昔所存私心，难以备述。（中国传统小说很少写心理活动，如『红』之写宝、黛心事，绝无仅有，实一突破。这种突破非来自于某种文学观念，创作方法的更新，而是来自生活的启示，小说文本自身的启示也。『红』对于传统小说，实是全面的大突破。）如今只述他们外面的形容。（如今只述外面形容，极是。心理活动描写得再多，最后还是要表现为『外面的形容』。人人都是通过『外面的形容』才使旁人感觉到自己的心事的，那么，某些情况下，与其去一览无遗又难免不挂一漏万乃至失之武断地去讲某某的心理活动，不如展其外面形容，测其心理依据。）

那宝玉又听见他说『好姻缘』三个字，越发逆了己意，心里干噎，口里说不出话来，便赌气向颈上摘下『通灵玉』来，咬咬牙，狠命往地下一摔，道：『什么劳什子！我砸了你，就完了事了！』（读之心酸不已。什么劳什子，砸不烂甩不掉离不开，横亘在两个有情男女之间！使爱者不能沟通，不能信任，不能满意！世上有几多这样的劳什子，我们的身边又有几多这样的劳什子呢？）偏生那玉坚硬非常，摔了一下，竟文风不动。宝玉见不破，便回身找东西来砸。黛玉见他如此，早已哭起来，说道：『何苦来，你摔砸那哑吧东西？有砸他的，不如来砸我！』

二人闹着，紫鹃雪雁等忙解劝。后来见宝玉下死劲砸玉，忙上来夺，又夺不下来。见比往日闹的大了，少不

得去叫袭人。袭人忙赶了来，才夺了下来。（袭人来夺，可叹可恼！）宝玉冷笑道：『我是砸我的东西，与你们什么相干！』袭人见他脸都气黄了，眼眉都变了，从来没气得这样，便拉着他的手，笑道：『你合妹妹拌嘴，不犯着砸他；倘砸坏了，叫他心里脸上怎么过的去？』林黛玉一行哭着，一行听了这话，说到自己心坎儿上来，可见宝玉连袭人不如，越发伤心大哭起来。心里一烦恼，方才吃的香薷饮解暑汤，便承受不住，『哇』的一声，都吐了出来。（这个具体情节合情合理，十分动人，丝丝入扣。）紫鹃忙上来用手帕子接住，登时一口一口的，把块手帕子吐湿。雪雁忙上来捶。紫鹃道：『虽然生气，姑娘到底也该保重着。才吃了药，好些，这会子因和宝二爷拌嘴，又吐了出来；倘或犯了病，宝二爷怎么过的去呢？』宝玉听了这话，说到自己心坎儿上来，可见黛玉不如一紫鹃。又见黛玉脸红头胀，一行啼哭，一行气凑，一行是泪，一行是汗，不胜怯弱。（病态也有审美价值，噫！）宝玉见了这般，又自己后悔：『方才不该和他较证，这会子他这样光景，我又替不了他。』心里想着，也由不得滴下泪来了。袭人见他两个哭，由不得守着宝玉也心酸起来；又摸着宝玉的手冰凉，待要劝宝玉不哭罢，一则又恐宝玉有什么委屈闷在心里，二则又恐薄了黛玉。不如大家一哭，就丢开手了，因此也流下泪来。紫鹃一面收拾了吐的药，一面拿扇子替黛玉轻轻的扇着，见三个人都鸦雀无声，各自哭各自的，也由不得伤起心来，也拿手帕子拭泪。（爱情是相互照耀。爱情是互相期待。爱得深，期待得多。爱情是利他的，又是自私的。期待实现不了，便怨、恼、恨，互相折磨起来。折磨起来，便觉『爱人』还不如路人。）

四个人都无言对泣。（四人同哭，读者亦为之一哭可也。）一时，袭人勉强笑向宝玉道：『你不看别人的，你看看

这玉上穿的穗子，也不该同林姑娘拌嘴。』黛玉听了，也不顾病，赶来夺过去，顺手抓起一把剪子来要剪。袭人紫鹃刚要夺，已经剪了几段。黛玉哭道：『我也是白效力，他也不稀罕，只有别人替他再穿好的去。』袭人忙接了玉道：『何苦来！这是我才多嘴的不是了。』宝玉向黛玉道：『你只管剪！我横竖不带他，也没什么。』

只顾里头闹，谁知那些老婆子们见黛玉大哭大吐，宝玉又砸玉，不知道要闹到什么田地，倘或连累了他们，便一齐往前头回贾母王夫人知道，好不干连了他们。（这样的汇报客观上不利于黛，老太太、太太从中生不出对黛的好感。）那贾母王夫人见他们忙忙的做一件正经事来告诉，也都不知有了什么大祸，便一齐进园来瞧他兄妹。急的袭人抱怨紫鹃：『为什么惊动了老太太、太太？』紫鹃又只当是袭人去告诉的，也抱怨袭人。（芝麻大的事，儿女情长的事，却也变成一场混战、一锅粥。）

那贾母王夫人进来，见宝玉也无言，黛玉也无话，问起来，又没为什么事，便将这祸移到袭人紫鹃两个人身上，说：『为什么你们不小心伏侍？这会子闹起来都不管了！』因此将二人连骂带说，教训了一顿。二人都没话，只得听着。（代主人受过是忠仆的一大任务也是一大荣耀。别人还摊不上呢。）还是贾母带出宝玉去了，方才平服。

过了一日，至初三日，乃是薛蟠生日，家里摆酒唱戏，贾府诸人都去了。宝玉因得罪了黛玉，二人总未见面，心中正自后悔，无精打彩的，那里还有心肠去看戏？因而推病不去。黛玉不过前日中了些暑溽之气，本无甚大病，听见他不去，心里想：『他是好吃酒看戏的，今日反不去，自然是因为昨儿气着了；再不然他见我不去，他也没心肠去。只是昨儿千不该，万不该，铰了那玉上的穗子。管定他再不带了，还得我穿了他才带。』因而心中十分后悔。

那贾母见他两个都生气，只说趁今儿那边去看戏，他两个见了，也就完了，不想又都不去。老人家急的抱怨说：『我这老冤家，是那一世里孽障？偏遇见这么两个不省事的小冤家，没有一天不叫我操心！真是俗语说的，「不是冤家不聚头」。几时我闭了眼，断了这口气，凭这两个冤家闹上天去，我「眼不见，心不烦」，也就罢了。偏又不咽这口气。』（爱而生怨，怨而益亲，是幸福也是灾难，总算尝到了这味道！）自己抱怨着，也哭了。

这话传入宝林二人耳内，他二人竟未从听见过『不是冤家不聚头』的这句俗语，如今忽然得了这句话，好似参禅的一般，都低着头细嚼这句话的滋味，都不觉潸然泣下。虽不曾会面，然一个在潇湘馆临风洒泪，一个在怡红院对月长吁。却不是『人居两地，情发一心』么。（有没有第六感官的作用？）

袭人因劝宝玉道：『千万不是，都是你的不是。往日家里小厮们和他的姊妹拌嘴，或是两口子分争，你听见了，还骂小厮们蠢，不能体贴女孩儿们的心肠；今儿你也这么着了。明儿初五，大节下，你们两个再这么仇人似的，老太太越发要生气，一定弄的不安生。依我劝你，正经下个气，赔个不是，大家还是照常一样儿，这么也好，那么也好。』（这样劝宝玉，其实是投宝玉之所好，设想如是相反，劝宝玉『以后再莫理她！』不是只能使宝玉愤怒么。也叫顾全大局。袭人角色，大不易也。）宝玉听了，不知依与不依。要知端详，下回分解。

人生一世，爱情体验是最强烈也最不分明，最快乐也最苦恼的体验。有这样的体验，哪怕爱情没有成功，也不枉活一世了。爱、怜、疑、嗔、怨、恼、恨……这些感情相接相生，如一圆环。这一回，宝黛感情实又前进了一步，发展到了新阶段。而此情与张道士的提亲示玉，

还礼有关。似有几分不可思议处。

把有中国特色的爱情滋味写得如此丰富、日常、难分难解、动人，殊可信也。

第三十回　宝钗借扇机带双敲　椿龄画蔷痴及局外

话说林黛玉自与宝玉口角后，也觉后悔，但又无去就他之理，因此日夜闷闷，如有所失。紫鹃度其意，乃劝道：『论前日之事，竟是姑娘太浮躁了些。别人不知那宝玉脾气，难道咱们也不知道的？为那玉也不是闹了一遭两遭了。』（度其意而劝，这是紫鹃的聪慧，也是一切『劝解』的局限性所在。）黛玉啐道：『你倒来替人派我的不是，我怎么浮躁了？』紫鹃笑道：『好好的，为什么剪了那穗子？岂不是宝玉只有三分不是，姑娘倒有七分不是？我看他素日在姑娘身上就好，皆因姑娘小性儿，常要歪派他，才这么样。』（这样的『批评』使嘴硬的黛玉心里受用。）

黛玉欲答话，只听院外叫门，紫鹃听了一听，笑道：『这是宝玉的声音，想必是来赔不是来了。』黛玉听了，说：『不许开门！』紫鹃道：『姑娘又不是了！这么热天，毒日头地下，晒坏了他，如何使得呢！』口里说着，便出去开门，果然是宝玉。一面让他进来，一面笑着说道：『我只当宝二爷再不上我们的门了，谁知道这会子又来了。』宝玉笑道：『你们把极小的事，倒说大了。好好的，为什么不来？我便死了，魂也要一日来一百遭。妹妹可大好了？』紫鹃道：『身上病好了，只是心里气还不大好。』宝玉笑道：『我晓得有什么气。』一面说着，一面进来。只见黛玉又在床上哭。（为你而哭！）

那黛玉本不曾哭，听见宝玉来，由不得伤心了，止不住滚下泪来。宝玉笑着走近床来道：『妹妹身上可大好了？』黛玉只顾拭泪，并不答应。宝玉因便挨在床沿上坐了，一面笑道：（由怨怒而伤心，渐趋平复了。）『我知道你不恼我，但只是我不来，叫旁人看见，倒像是咱们又拌了嘴的似的。若等他们来劝咱们，那时节，岂不咱们倒觉生分了？不如这会子，你要打要骂，凭着你怎么样，千万别不理我！』说着，又把『好妹妹』叫了几十声。（这样的小儿女故事竟令读者为之垂泪不尽。）

黛玉心里原是再不理宝玉的，这会子听见宝玉说『别叫人知道咱们拌了嘴就生分了是的』这一句话，又可见得比别人原亲近，因又掌不住，便哭道：『你也不用来哄我。从今以后，我也不敢亲近二爷，权当我去了。』宝玉听了笑道：『你往那里去呢？』黛玉道：『我回家去。』宝玉笑道：『我跟了去。』黛玉道：『我死了呢？』宝玉道：『你死了，我做和尚。』（历来红学家极重视这话。）黛玉一闻此言，登时把脸放下来，问道：『想是你要死了，胡说的是什么？你们家倒有几个亲姐姐亲妹妹呢，明日都死了，你几个身子做和尚？明日我倒把这话告诉别人去评评。』（似乎是脱口而出而且近乎荒诞不经的话，竟成了事实，则此话也就是谶语了。谶语是迷信？是胡思乱想？是威严的命运和神灵的暗示？抑或小说作者对于书的结局的预先透露？他知道后四十回稿会佚散吗？这种种可能性，对于小说家言来说，又有什么区别呢？这也是假做真时真亦假呀！）

宝玉自知这话说的造次了，后悔不来，登时脸上红涨，低了头，不敢则一声。幸而屋里没人。黛玉两眼直瞪瞪的瞅了他半天，气的『嗳』了一声，说不出话来。见宝玉逼得脸上紫涨，便咬着牙，用指头狠命的在他额上戳了一下，『哼』了一声，咬着牙说道：『你这……』（戏曲性场面！）刚说了两个字，便又叹了一口气，仍拿起手帕子来擦眼泪。（看来『红』的作者是相信命运的，各个关键情节都有预兆、预演、预示，至少有看似不经的言语的预言。经过太多的沧桑，谁能不变成宿命论者呢？）

宝玉心里原有无限心事，又兼说错了话，正自后悔；又见黛玉戳他一下，要说也说不出来，自叹自泣，因此自己也有所感，不觉滚下泪来。要用帕子揩拭，不想又忘了带来，便用衫袖去擦。黛玉虽然哭着，却一眼看见了他穿着簇新藕合纱衫，竟去拭泪，便一面自己拭着泪，一面回身，将枕上搭的一方绡帕拿起来，向宝玉怀里一摔，一语不发，仍掩面而泣。（至今有许多电影借用这一场面，如《董存瑞》就有连长批评哭了董存瑞，又递给他手帕擦泪的镜头并受到影评家钟惦棐的激赏。不知来源与『红』是否有关。实乃不朽的细节也。）宝玉见他摔了帕子来，忙接住拭了泪，又挨近前些，伸手挽了黛玉一只手，笑道：『我的五脏都碎了，你还只是哭。去罢，我同你往老太太跟前去。』黛玉将手摔道：『谁同你拉拉扯扯的！一天大似一天，还这么涎皮赖脸的，连个理也不知道。』

宝玉与黛玉互爱得好苦，强烈的、深挚的感情，超常的近乎先验的感情是人生的厚味，是人生的真谛所在。但是，当这种情感体验过于超常，过于不流俗、不苟且、不轻薄、不让步的时候，它就会不容于人，亦不容于天！安娜·卡列尼娜的悲剧以至罗密欧与朱丽叶的悲剧亦可做如是解。

一句话没说完，只听嚷道：『好了！』宝黛两个不防，都唬了一跳，回头看时，只见凤姐儿跑了进来，笑道：

『老太太在那里抱怨天，抱怨地，只叫我来瞧瞧你们好了没有。我说：「不用瞧，过不了三天，他们自己就好了。」老太太骂我，说我懒，我来了，果然应了我的话。也没见你们两个，有些什么可拌的，三日好了，两日恼了，越大越成了孩子了！有这会子拉着手哭的，昨儿为什么又成了「乌眼鸡」呢？还不跟我走，到老太太跟前，叫老人家也放些心。』说着，拉了黛玉就走。（中国少男少女的感情生活从一开始就被那么多人关心干预撮合劝慰，实大不幸！太没有 privacy 观念了。privacy 即独处——不受干扰的。）

黛玉回头叫丫头们，一个也没有。凤姐道：『又叫他们做什么，有我伏侍呢。』一面说，一面拉了就走。宝玉在后面跟着，出了园门，到了贾母跟前，凤姐笑道：『我说他们不用人费心，自己就会好的，老祖宗不信，一定叫我去说和；我及至到那里要说和，谁知两个人倒在一处对赔不是，对笑对说呢！倒像「黄鹰抓住鹞子的脚」，两个都「扣了环了」，那里还要人去？』说的满屋里都笑起来。

此时宝钗正在这里，那黛玉只一言不发，挨着贾母坐下。宝玉没甚说的，便向宝钗笑道：『大哥哥好日子，偏生的又不好了，没别的礼送，连个头也不磕去。大哥哥不知我病，倒像我懒，推故不去呢。倘或明儿闲了，姐姐替我分辩分辩。』宝钗笑道：『这也多事。你便要去，也不敢惊动，何况身上不好。弟兄们终日一处，要存这个心，倒生分了。』宝玉又笑道：『姐姐知道体谅我就好了。』又道：『姐姐怎么不看戏去？』宝钗道：『我怕热。看了两出，热得很，要走，客又不散，我少不得推身上不好，就来了。』（宝钗岂是眼皮里揉沙子者！）宝玉听说，由不得脸上没意思，只得又搭赳笑道：『怪不得他们拿姐姐比杨贵妃，原也体胖怯热。』宝钗听说，不由的大怒，待要怎样，又不好怎样，回思了一回，脸红起来，便冷笑了两声，说道：『我倒像杨贵妃，只是没一个好哥哥好兄弟，可以做得杨国忠的！』（按下葫芦起了瓢，宝玉算是惨了。）

二人正说着，可巧小丫头靓儿因不见了扇子，和宝钗笑道：『必是宝姑娘藏了我的。好姑娘，赏我罢。』宝钗指他道：『你要仔细！我和谁玩过，你来疑我？和你素日嘻皮笑脸的那些姑娘们，你该问他们去。』（直捣要害！）说的靓儿跑了。宝玉自知又把话说造次了，当着许多人，更比才在黛玉跟前更不好意思，便急回身，又同别人搭赸去了。

黛玉听见宝玉奚落宝钗，心中着实得意，才要搭言，也趁势取个笑，不想靓儿因找扇子，宝钗又发了两句话，他便改口说道：『宝姐姐，你听了两出什么戏？』（这叫找『呲』儿。）宝钗因见黛玉面上有得意之态，一定是听了宝玉方才奚落之言，遂了他的心愿，忽又见问他这话，便笑道：『我看的是李逵骂了宋江，后来又赔不是。』宝玉便笑道：『姐姐通今博古，色色都知道，怎么连这一出戏的名儿也不知道，就说了这么一串。这叫做「负荆请罪」。』宝钗笑道：『原来这叫「负荆请罪」！你们通今博古，才知道「负荆请罪」，我不知什么叫「负荆请罪」。』（口舌之争，是人际斗争的一大块，能言善辩也是一种威慑力量；放尊重些，少挑衅！）

这一段凸现宝钗的尊严的不可侵犯性与应对才能。宝玉有点自讨没趣。宝钗也是人不犯我，我不犯人，人若犯我，我必犯人。

一句话未说了，宝玉黛玉二人心里有病，听了这话，早把脸羞红了。凤姐这些上虽不通，但只看他三人形景，便知其意，也笑问道：『这们大热的天，谁还吃生姜呢？』众人不解，便说道：『没有吃生姜的。』凤姐故意用

手摸着腮，诧异道：『既没人吃生姜，怎么这样辣辣的？』宝玉黛玉二人听见这话，越发不好意思了。宝钗再欲说话，见宝玉十分羞愧，形景改变，也就不好再说，只得一笑收住。（有理有利有节。）别人总未解得他四个人的言语，因此付之一笑。

一时宝钗凤姐去了，黛玉笑向宝玉道：『你也试着比我利害的人了。谁都像我心拙口夯的，由着人说呢！』宝玉正因宝钗多心，自己没趣，又见黛玉问着他，越发没好气起来。欲待要说两句，又怕黛玉多心，说不得忍气，无精打彩，一直出来。（爱呼爱得够疲倦的了。身份不同，关系不同，背景不同，点到为止，含而不露。）

谁知目今盛暑之际，又当早饭已过，各处主仆人等多半都因日长神倦，宝玉背着手，到一处，一处鸦雀无声。从贾母这里出来，往西走过了穿堂，便是凤姐的院落。到他院门前，只见院门掩着，知道凤姐素日的规矩，每到天热，午间要歇一个时辰的，进去不便，遂进角门，来到王夫人上房内。只见几个丫头手里拿着针线，却打盹儿。王夫人在里间凉床上睡着，金钏儿坐在傍边捶腿，也乜斜着眼乱恍。

宝玉轻轻的走到跟前，把他耳上带的坠子一摘，金钏儿睁眼，见是宝玉。宝玉便悄悄的笑道：『就困的这么着？』金钏抿嘴一笑，摆手令他出去，仍合上眼。宝玉见了他，就有些恋恋不舍的，悄悄的探头瞧瞧王夫人合着眼，便自己向身边荷包里带的香雪润津丹掏了一丸出来，便向金钏儿口里一送，金钏儿并不睁眼，只管噙了。宝玉上来，便拉着手，悄悄的笑道：『我和太太讨你，咱们在一处吧。』（盛暑火大，宝玉烦躁，动辄得咎，成了祸头子——麻烦制造者啦。）金钏儿不答。宝玉又道：『不然，等太太醒来，我就讨。』金钏儿睁开眼，

将宝玉一推，笑道：『你忙什么？「金簪儿掉在井里头，有你的只是有你的。」连这句俗语难道也不明白？我告诉你个巧方儿，你往东小院子里拿环哥儿同彩云去。』宝玉笑道：『凭他怎么去罢，我只守着你。』只见王夫人翻身起来，照金钏儿脸上就打了一个嘴巴子，指着骂道：『下作小娼妇！好好爷们，都叫你们教坏了！』（也是女祸论。）宝玉见王夫人起来，早一溜烟去了。这里金钏儿半边脸火热，一声不敢言语。登时众丫头们听见王夫人醒了，都忙进来。王夫人便叫：『玉钏儿，把你妈叫上来，带出你姐姐去。』金钏儿听见，忙跪下哭道：『我再不敢了！太太要打要骂，只管发落，别叫我出去，就是天恩了。我跟了太太十来年，这会子撵出去，我还见人不见人呢！』（宁做奴隶，不要自由，这恐怕不仅是觉悟问题。）

王夫人固然是个宽仁慈厚的人，从来不曾打过丫头们一下，今忽见金钏儿行此无耻之事，此乃平生最恨者，（『平生最恨』四字，表达了王夫人正人君子、大义凛然的性格。盖封建道德的最敏感最伟大部分在于反淫防淫，尤其是防女性之淫。女性防女性，更甚于男性。王夫人如此深恶痛绝，实有她的心理深层依据。自己越是压抑就越是要压抑别人摧残别人，这是中国的反性灭性道德的运转能源和动力保障体系。）故气忿不过，打了一下子，骂了几句。虽金钏儿苦求，也不肯收留，到底唤了金钏儿之母白老媳妇领了下去。那金钏儿含羞忍辱的出去，不在话下。

且说宝玉见王夫人醒了，自己没趣，忙进大观园来。只见赤日当天，树阴合地，满耳蝉声，静无人语。刚到了蔷薇架，只听见有人哽噎之声，宝玉心中疑惑，便站住细听，果然架下那边有人。（这里突然插进一个故事，只如长篇中的一个半独立的短篇然。）此时正是五月，那蔷薇花叶茂盛之际，宝玉悄悄的隔着篱笆洞儿一看，只见一个女孩子蹲在花下，手里拿着根绾头的簪子在地下抠土，一面悄悄的流泪呢。宝玉心中想道：『难道这也是个痴丫头，又像颦儿来葬花不成！』（让人物主观主义犯判断错误以吊读者的胃口，也是欲擒故纵，欲彰弥盖。）因又自笑道：『若真也葬花，可谓「东施效颦」，不但不为新特，而且更是可厌了。』想毕，便要叫那女子，说：『你不用跟着林姑娘学了。』话未出口，幸而再看时，这女孩子面生，不是个侍儿，倒像是那十二个学戏的女孩子之内一个，却辨不出他是生、旦、净、丑那一个脚色来。

宝玉忙忙把舌头一伸，将口掩住，自己想道：『幸而不曾造次，上两回皆因造次了，颦儿也生气，宝儿也多心，如今再得罪了他们，越发没意思了。』（只记得得罪钗黛，忘了金钏了么？）一面想，一面又恨认不得这个是谁。再留神细看，只见这女孩子眉蹙春山，眼颦秋水，面薄腰纤，袅袅婷婷，大有林黛玉之态。（一会儿是一个小戏子长得像黛玉，一会儿是这个，后边还有五儿之类，另外晴雯也像黛玉，这样写人物——把一个人物与一些别人类似起来——是『红』的一个特色。）宝玉早又不忍弃他而去，只管痴看，只见他虽然用金簪画地，并不是掘土埋花，竟是向土上画字。

宝玉用眼随着簪子的起落，一直到底，一画、一点、一勾的看了去，数一数，十八笔，自己又在手心里用指头按着他方才下笔的规矩写了，猜是个什么字。写成一想，原来就是个蔷薇花的『蔷』字。宝玉想道：『必定是他也要做诗填词，这会子见这花，因有所感，或者偶成一两句，一时兴至，怕忘，在地下画着推敲，也未可知。且看他底下再写什么。』一面想，一面又看，只见那女孩子还在那里画呢。画来画去，还是个『蔷』字。再看，还是个『蔷』字。

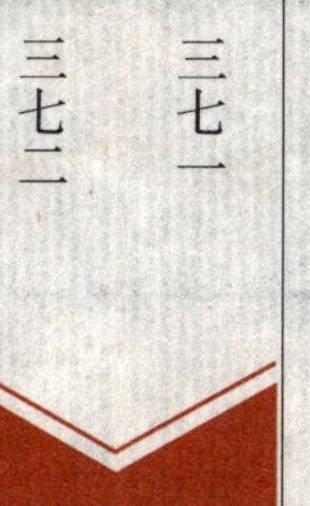

里面的原是早已痴了，画完一个『蔷』又画一个『蔷』，已经画了有几十个。外面的不觉也看痴了，两个眼睛珠儿只管随着簪子动，心里却想：『这女孩子一定有什么说不出的大心事，才这么个形景。外面他既是这个形景，心里不知怎么熬煎呢！看他的模样儿，这般单薄，心里那里还搁得住熬煎？可恨我不能替你分些过来。』（以宝玉的眼睛看陌生者的外面形容，便更多一种陌生感、间离感却又有一种情种间的共鸣感。既沟通又绝对地不沟通，妙极。）

伏中阴晴不定，片云可以致雨，忽然凉风过了，飒飒的落下一阵雨来。（情景交融，天人互感，飒飒落雨，更有长夏永昼之感。）宝玉看那女子头上滴下水来，纱衣裳登时湿了。宝玉想道：『这是下雨了，他这个身子，如何禁得骤雨一激。』（宝玉也是『惺惺惜惺惺』『以情会友』。）因此禁不住便说道：『不用写了。你看下大雨，身上都湿了。』那女孩子听说，倒唬了一跳，抬头一看，只见花外一个人叫他『不要写下大雨了』，一则宝玉脸面俊秀；二则花叶繁茂，上下俱被枝叶隐住，刚露着半边脸，那女孩子只当是个丫头，再不想是宝玉，因笑道：『多谢姐姐提醒了我，难道姐姐在外头有什么遮雨的？』（宝玉误以为她是效颦，她误以为宝玉是丫头，这个『两岔口』颇有内在的戏剧性。）一句提醒了宝玉，『嗳哟』了一声，才觉得浑身冰凉。低头看看自己身上，也都湿了。说：『不好！』只得一气跑回怡红院去了，心里却还记挂着那女孩子没处避雨。（宝玉因情而忘我，动人得紧。跑回怡红院还记挂女孩子没处避雨，可称余音袅袅，三日不绝。）

原来明日是端阳节，那文官等十二个女孩子都放了学，进园来各处玩耍，可巧小生宝官正旦玉官两个女孩子，正在怡红院和袭人玩笑，被雨阻住，大家把沟堵了，水积在院内，把些绿头鸭、花鹨鶒、彩鸳鸯，捉的捉，赶的赶，缝了翅膀，放在院内玩耍，将院门关了。（与前述夏日午后落雨的季节描写气象描写呼应得好。）袭人等都在游廊上嘻笑。

宝玉见关着门，便用手扣门，里面诸人只顾笑，那里听见？叫了半日，拍得门山响，里面方听见了。料着宝玉这会子再不回来的，袭人笑道：『谁这会子叫门？没人开去。』宝玉道：『是我。』麝月道：『是宝姑娘的声音。』晴雯道：『胡说！宝姑娘这会子做什么来？』袭人道：『让我隔着门缝儿瞧瞧，可开就开，别叫他淋着回去。』说着，便顺着游廊到门前往外一瞧，只见宝玉淋得『雨打鸡』一般。袭人见了，又是着忙，又是可笑，忙开了门，笑着，弯腰拍手道：『那里知道是爷回来了！你怎么大雨里跑了来？』

宝玉一肚子没好气，满心里要把开门的踢几脚，方开了门，并不看真是谁，还只当是那些小丫头们，便抬腿踢在肋上，袭人『嗳哟』了一声。宝玉还骂道：『下流东西们！我素日担待你们得了意，一点儿也不怕，越发拿着我取笑儿了！』（宝玉想『平等』就平等，想『主子』就主子，想『姐姐』就姐姐，想踢脚就踢脚。）口里说着，一低头见是袭人哭了，方知踢错了。忙笑道：『嗳哟，是你来了！踢在那里了？』袭人从来不曾受过一句大话儿的，今忽见宝玉生气踢他一下，又当着许多人，又是羞，又是气，又是疼，真一时置身无地。待要怎么样，料着宝玉未必是安心踢他，少不得忍着说道：『没有踢着，还不换衣裳去！』（说下天来，主子就是主子，自由平等博爱如贾宝玉先生，也是那个阶级的呀！宝玉真成了祸头子了。）

宝玉一面进房来解衣，一面笑道：『我长了这么大，今日是头一遭儿生气打人，（未必。）不想偏生遇见了你！』袭人一面忍痛换衣裳，一面笑道：『我是个起头儿的人，也不论事大事小，是好是歹，自然也该从我起。但只是别说打了我，明日顺了手，也打起别人来。』宝玉道：『我才也不是安心。』袭人道：『谁说是安心呢！素日开门关门的都是那起小丫头们的事，他们是憨皮惯了的，早已恨得人牙痒痒，他们也没个怕惧，你打量是他们，踢一下子唬唬也好。刚才是我淘气，不叫开门的。』（何等地识大体！）

说着，那雨已住了，宝官玉官也早去了。袭人只觉肋上疼得心里发闹，晚饭也不曾吃。至晚间洗澡脱了衣服，只见肋上青了碗大一块，自己倒唬了一跳，又不好声张。一时睡下，梦中作痛，由不得『嗳哟』之声，从睡中哼出。

这一段很像一个美丽的短篇小说。朦胧而又美丽，视角很有特色。夏日的烦闷，阵雨的从天而降，互不相识，甚至性别也闹误会的少男少女的心心相印，传达着一种天真美好的青春气息，若明若暗，瞬间偶遇，各有苦衷，一种不得不必交流中的似有交流，都使它成为一篇不同寻常的微妙的心态小说。此短篇小说可以命名为《夏天》《雨》或《青春》……你甚至会觉得它写得相当『现代』，它与以劝善惩恶为主旨，以因果报应为逻辑，以人物命运、情节联结为主体的『三言』『二拍』式的中国传统小说是怎样的不同啊！

宝玉虽说不是安心，因见袭人懒懒的，也不安稳。忽夜里闻得『嗳哟』，便知踢重了，自己下床来，悄悄的秉灯来照。（和袭人更过得着了。被主子无意中踢了一脚，其实给忠奴带来了被赏识被列入亲信死党的大好机遇。）刚到床前，只见袭人嗽了两声，吐出一口痰来，『嗳哟』一声，睁眼见了宝玉，倒唬一跳，道：『作什么？』宝玉道：『你梦里「嗳哟」，必是踢重了，我瞧瞧。』袭人道：『我头上发晕，嗓子里又腥又甜，你倒照一照地下罢。』宝玉听说，果然持灯向地下一照，只见一口鲜血在地。宝玉慌了，只说：『了不得了！』袭人见了，也就心冷了半截。要知端的，下回分解。

这一回堪称是宝玉的无赖纪事，宝玉的泛爱主义的碰壁纪事。他得罪了黛玉，刚稍有好转又得罪了宝钗，紧接着害了金钏，到此回结束，他已把金钏完全忘到了一边。他完全没有估计到后果的严重性。然后去关心起龄官画『蔷』来。该时他的心情是纯洁、美好、忘我的。回怡红院，恶的一面突又上升，称王称霸的一面又凸现出来了。不论袭人怎样忍辱负重，委曲求全，事情本身留给宝玉的当然也不是成功和胜利的喜悦。宝玉的悲剧在于他性灵可悲！多情可悲！乃至可厌可耻！但谁又能为他设计更好的选择呢？

宝玉写得丰满，灵的，肉的，可爱的，无赖的，多情的，多内分泌的，颓废的与混乱的。与其说他是逆子的典型，不如说是青春——任性的典型。他不承认任何意识形态与价值系统，只承认与女儿及貌美男儿的直觉吸引与瞬间快乐。